l'union
fait la
force

D0068484

Livret-jeux

LES ÉDITIONS
LA PRESSE

Catalogage avant publication de Bibliothèque et Archives nationales du Québec et Bibliothèque et Archives Canada

Vedette principale au titre :

L'union fait la force

Basé sur l'émission *L'union fait la force.*

ISBN 978-2-923681-26-9

1. Jeux-questionnaires. 2. Questions et réponses. I. Union fait la force (Émission de télévision).

GV1507.Q5U54 2009   793.73   C2009-941839-8

DIRECTEUR DE L'ÉDITION
Martin Balthazar

ÉDITRICE DÉLÉGUÉE
Sylvie Latour

CONCEPTION GRAPHIQUE
Benoit Martin

PHOTO DE LA COUVERTURE 1
Société Radio-Canada

Dépôt légal – 3ᵉ trimestre 2009

ISBN 978-2-923681-26-9

Imprimé et relié au Canada

LES ÉDITIONS
LA PRESSE

PRÉSIDENT
André Provencher

Les Éditions La Presse
7, rue Saint-Jacques
Montréal (Québec)
H2Y 1K9

L'éditeur bénéficie du soutien de la Société de développement des entreprises culturelles du Québec (SODEC) pour son programme d'édition et ses activités de promotion.

L'éditeur remercie le gouvernement du Québec de l'aide financière accordée à l'édition de cet ouvrage par l'entremise du Programme de crédit d'impôt pour l'édition de livres, administré par la SODEC.

Nous reconnaissons l'aide financière du gouvernement du Canada par l'entremise du Programme d'aide au développement de l'industrie de l'édition (PADIÉ) pour nos activités d'édition.

MOT DE PRÉSENTATION

Bonjour et bienvenue à *L'union fait la force*!

Depuis toujours les jeux télévisés ont la cote et la force d'un bon jeu c'est d'abord le plaisir qu'il procure, sa simplicité et la possibilité d'y jouer à la maison. La recette semble simple mais elle est beaucoup plus complexe qu'il n'y paraît. *L'union fait la force* est née d'une idée de Jean-Claude Lespérance et Jean Bissonnette qui, en 2002, ont fait appel à Dominique Lévesque et Pierre Huet pour créer un jeu répondant à ces critères.

L'hémisphère gauche du cerveau est analytique, le droit est synthétique. Le gauche est intellectuel, le droit est intuitif. Bien des différences existent encore entre ces zones de notre cerveau : verbal et non verbal, objectif et subjectif, logique et irrationnel, précis ou approximatif, pour ne nommer que celles-là. Et si la majorité des jeux à la télé font une belle part à la mémoire ou au hasard, rarement peut-on faire appel à toutes nos capacités cérébrales dans un plaisir plus global.

C'est le défi que nous nous sommes lancé à *L'union fait la force*. En plus d'utiliser des formes de jeux classiques, nous visons toujours à développer de nouveaux angles de jeu. En perpétuelle évolution, à chaque saison, *L'union fait la force* fait fonctionner notre cerveau globalement… avec un petit sourire neuronal.

Finalement, la grande réussite de Dominique Lévesque réside dans le fait d'avoir choisi la langue française comme point de départ. Pour l'avoir tous étudiée sur les bancs de la petite école, on sait à quel point le sujet peut être aride lorsqu'il est mal transmis mais que c'est aussi cette grande complexité qui en fait toute la richesse. Je rêve du jour où l'on pourra avoir autant de plaisir à l'école... qu'à regarder *La petite école*!

Amusez-vous bien avec les questions du livret-jeux et venez tester vos habiletés en regardant l'émission en temps réel!

Rappelez-vous, les concurrents n'ont que sept secondes pour répondre aux questions!

Au plaisir de vous y retrouver,
Patrice L'Ecuyer

LES QUESTIONS

ÇA COMMENCE PAR... ÇA FINIT PAR...
ON CHERCHE ICI DES MOTS QUI COMMENCENT
PAR LE SON « KA »

1 Se dit des francophones
de Louisiane

RÉPONSE ....

2 Embarcation inuit

RÉPONSE ....

3 Affection des yeux

RÉPONSE ....

4 Fleur préférée d'une héroïne
du théâtre français

RÉPONSE ....

5 Rongeur canadien

RÉPONSE ....

CARTES POSTALES

Citius Altius Fortius, telle est notre devise.

Je continue ce qu'Antonio avait fait pendant
21 ans mais avouez que nous sommes loin
de ce qu'avait imaginé le fondateur des
Jeux olympiques modernes. Je me demande bien
si on va parler beaucoup des Droits de l'Homme
lors des prochains jeux. Je crains quelques
incidents diplomatiques. N'oubliez pas la
refonte quinquennale de notre administration.

Jacques R.

6 Qui est le fondateur des Jeux olympiques modernes? ....

7 Quel est le nom de famille de Jacques qui écrit ce courriel? ....

8 Quelle ville accueillera les prochains Jeux d'été? ....

9 Que signifient les trois mots latins au début du texte? ....

Hey man,

C'est cool que j'voyage pour le band: j'ai deux djembés pour toi, cachés sous mon burnous. Chu loin de Tunis en ti-péché man. J'couche dans une yourte pis les moutons m'empêchent de dormir. Mon chum joue du didjeridou sans arrêt, c'est pas pour aider non plus. Dès qu'on arrive au Yang Tsé, on revient. Va ben falloir le former c'band-là un jour ou l'autre.

10 Quelle sorte d'instrument est le djembé? ....

11 Qu'est-ce qu'un burnous? ....

12 Qu'est-ce qu'une yourte? ....

13 De quel pays vient le didjeridou? ....

CLASSE-TOI!

CLASSEZ CES PLANÈTES EN ORDRE D'ÉLOIGNEMENT PROGRESSIF DU SOLEIL :

1) MARS   2) TERRE   3) SATURNE   4) JUPITER

14   ....

UNE IMAGE VAUT 1000 MOTS
À VOUS DE JOUER !

15   De quelle expression s'agit-il ?

....

ÉNIGME

16   Paul a 20 balles rouges et 16 noires dans une boîte opaque. Sans pouvoir les voir, combien Paul doit-il tirer de balles de la boîte, au maximum, pour en obtenir deux pareilles ?

....

FAITES LA PAIRE

CE JEU CONSISTE À TROUVER, À PARTIR DE DEUX ÉLÉMENTS, UN TROISIÈME
QUI LES LIE OU PERMET DE LES COMBINER.

17 Un des osselets de l'oreille
Outil

18 Insecte
Grain de beauté

19 Figure géométrique
Petit instrument de musique à une note

20 Légume
Prélèvement de roche

21 Véhicule de remplacement en Formule 1
Petit de l'âne et de la jument

22 Matériel photographique
Couche mince

23 Pièce de plomberie
Conseil

24 Étalages
Faisceaux

LA LETTRE PERDUE
À VOUS DE RECONSTITUER LES MOTS CI-DESSOUS EN Y RÉINSÉRANT LA
LETTRE PERDUE.

Lettre perdue : G

25 ARAE ....

26 MAO ....

27 RUER ....

28 RINALET ....

29 INSEN ....

Lettre perdue : S

30 IETE ....

31 ALIFI ....

32 AUCIE ....

33 OLTICE ....

34 AAIN ....

LA PYRAMIDE

LE PREMIER MOT TROUVÉ À L'AIDE DE L'INDICE NE CONTIENT QU'UNE
SEULE LETTRE, LE DEUXIÈME, DEUX LETTRES, ET AINSI DE SUITE. LES LETTRES
PEUVENT ÊTRE AJOUTÉES AU DÉBUT, AU MILIEU, OU À LA FIN DU MOT
PRÉCÉDENT.

35 Finit la phrase

36 À gauche et à droite
sur la boussole

37 Encouragement espagnol

38 Unité de base en chimie

39 Pour reproduire un objet

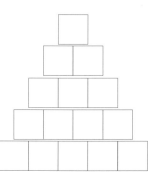

40 Il y en a deux par mille

41 Au début de la plupart
des contes de fées

42 Celle de Tintin était noire,
celle de Jules Verne, mystérieuse

43 Fabriquée par le foie

44 Petite boule de verre
ou tronçon de bois

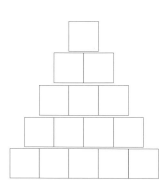

CLASSE-TOI !

CLASSEZ CES VILLES DANS L'ORDRE CHRONOLOGIQUE DE L'ANNÉE DURANT LAQUELLE ELLES ONT ACCUEILLI LES JEUX OLYMPIQUES D'ÉTÉ :

1) MONTRÉAL   2) MEXICO   3) TOKYO   4) MUNICH

45 ....

UNE IMAGE VAUT 1000 MOTS

À VOUS DE JOUER !

46 De quelle expression s'agit-il ?

....

ÉNIGME

47 Trouvez les réponses aux définitions et effectuez l'opération mathématique pour trouver la réponse : (ruminant) - (produit de la poule) = ?

....

LE POINT DU SAVOIR

IDENTIFIEZ LE SUJET À L'AIDE DES INDICES. LE DÉFI RÉSIDE DANS LE FAIT DE NE LIRE QU'UNE SEULE QUESTION À LA FOIS ! À L'ÉMISSION, UNE RÉPONSE TROUVÉE APRÈS LE PREMIER INDICE VAUT CINQ POINTS, APRÈS LE DEUXIÈME, QUATRE POINTS, ET AINSI DE SUITE.

48 Plus de 90 % de sa population parle l'espagnol et pratique la religion catholique.

49 Au Nord de son territoire, on retrouve singes et jaguars, tandis qu'au Sud, vivent manchots et guanacos.

50 Une partie de la Terre de Feu lui appartient.

51 C'est dans ce pays que sont nés Mafalda et le tango.

52 La cordillère des Andes y forme une frontière naturelle avec le Chili.

....

53 Son centre est constitué de plusieurs couches de « vitellus ».

54 Sa membrane contient une chambre à air.

55 Il était autrefois interdit de le consommer durant le Carême.

56 Le terme « albumen » désigne sa partie blanche.

57 On l'associe à la fête de Pâques.

....

LES « ACROS »

VOUS DEVEZ DÉCOUVRIR UN ACRONYME À PARTIR D'UNE DÉFINITION OU D'UNE DESCRIPTION QUI PEUT ÊTRE FORT LARGE, VOIRE ÉNIGMATIQUE OU MYSTÉRIEUSE.

58 Important syndicat québécois

59 Médecin spécialiste de la gorge, du nez et des oreilles

60 Parti politique canadien mené par Jack Layton

61 Numéro international d'identification attribué à chaque livre publié

62 Appellation française des sans-abris

63 Produit toxique qui a marqué la localité de Saint-Basile

64 Poste de commandement

65 Régime de retraite

66 Ex-regroupement de 15 républiques socialistes

67 Organisme qui vient en aide aux animaux

LES DÉS À DÉCOUDRE
LE SUJET IDENTIFIÉ SUR LA SURFACE APPARENTE DU « DÉ »
DEVRA SE TROUVER DANS VOTRE RÉPONSE.

68 C'est compliqué, difficile

....

69 Ce qu'on criait autrefois, à la mort d'un roi,
pour dire que la monarchie est éternelle

....

70 On le dit d'une installation dont un élément
est supporté par une partie qui est elle-même
au-dessus du vide

....

71 Contient le cerveau

....

72 Être innocent

....

CLASSE-TOI !
CLASSEZ CES CARTES SELON LA VALEUR EN POINTS DE LEUR NOM AU JEU
DE SCRABBLE FRANÇAIS, DE LA PLUS PETITE VALEUR À LA PLUS GRANDE :

1) NEUF   2) DAME   3) DIX   4) VALET

73 ....

UNE IMAGE VAUT 1000 MOTS
À VOUS DE JOUER !

PARTAGE

74 De quelle expression s'agit-il ?

....

ÉNIGME

75 On nous a appris que l'eau bout à 100 degrés Celsius mais ce n'est pas toujours le cas. Quel phénomène naturel affecte la température à laquelle l'eau atteint l'ébullition ?

....

NOMS ET PRÉNOMS

LES INDICES VOUS AIDERONT À IDENTIFIER TROIS PERSONNES PORTANT LE PRÉNOM INDIQUÉ.

Prénom : ÉRIC

76 Réalisateur français   ....

77 Auteur-compositeur
et guitariste britannique   ....

78 Écrivain au prénom
composé d'Emmanuel ....

Prénom : TIM
79 Ex-joueur de hockey qui
s'est recyclé dans les beignes ....

80 Oscar du meilleur acteur second rôle
dans « Mystic River » ....

81 Cinéaste américain, réalisateur de « Charlie
et la chocolaterie » ....

QUESTIONS DE LETTRES
IL VOUS FAUT TROUVER, À L'AIDE DES INDICES,
DES MOTS QUI CONTIENNENT TROIS « M ».

82 Tout de suite ....

83 Animal vertébré qui allaite ses petits

....

84 Ordre ....

ON CHERCHE MAINTENANT DES MOTS QUI CONTIENNENT
UN « L » À CHAQUE EXTRÉMITÉ

85 Sur la rive-sud de Montréal

....

86 Qui est conforme à la loi

....

87 Université de Québec

....

88 Pièce de toile dans laquelle
on ensevelit un mort

....

ON CHERCHE DES MOTS « AVEC UN OURS DEDANS » !
(SANS ÉGARD À LA PRONONCIATION)

89 Éternellement ....

90 Animal marin couvert d'épines

....

91 On y gagne… et on y perd

....

92 Couloir dans un navire

....

CLASSE-TOI !
CLASSEZ CES PERSONNAGES DE LA SÉRIE TINTIN DANS L'ORDRE DE LEUR
PREMIÈRE APPARITION DANS UN ALBUM :

1) LA CASTAFIORE   **2)** TOURNESOL   **3)** MILOU   **4)** HADDOCK

93 ....

UNE IMAGE VAUT 1000 MOTS
À VOUS DE JOUER !

94 De quelle expression s'agit-il ?

....

ÉNIGME

95 Un homme à sa mort lègue 17 chevaux à ses trois fils mais exige que l'un ait la moitié de son troupeau, l'autre le tiers, et le dernier le neuvième. Comment le notaire peut-il respecter les souhaits de l'homme tout en gardant les chevaux intacts ?

....

SANS VOYELLES
À VOUS DE RECONSTITUER LES MOTS CI-DESSOUS
EN Y RÉINSÉRANT LES VOYELLES.

96 CH_ _S_ ....

97 _C_D_L_ ....

98 B_T_ _L ....

99 P_RM_T_T_ _N ....

100 C_H_ _R ....

101 CL_ _ ....

102 R_P_D_S ....

103 C_ _PL_ ....

104 _D_ _T ....

105 J_ _T_ ....

SPRINT À RELAIS

LES PREMIÈRES LETTRES CORRESPONDENT AUX DERNIÈRES LETTRES DU MOT PRÉCÉDENT. IL PEUT S'AGIR DE LA DERNIÈRE OU DES DEUX, TROIS OU QUATRE DERNIÈRES. À VOUS DE JOUER !

106 **Lettres de départ :**   **TER**
Type de pâté

....

107 Qui est fictif, absent

....

108 Cette locution indique la résignation

....

109 Suivre les traces d'un animal

....

110 Ce robot est célèbre pour sa phrase
« Hasta la vista, Baby »

....

111 Un cours d'eau en montagnes

....

112 Aptitude à produire un rendement

....

113 Ensemble de taies et de draps

....

CLASSE-TOI!

CLASSEZ CES GRANDS LACS SELON L'ALTITUDE À LAQUELLE SE TROUVE LEUR SURFACE, À PARTIR DU PLUS HAUT :

1) ÉRIÉ **2)** ONTARIO **3)** HURON **4)** SUPÉRIEUR

114 ....

L'émission a été conçue pour procurer de la visibilité et une occasion de gagner de l'argent à des organismes communautaires engagés dans l'offre d'activités sportives, culturelles, de plein air ou d'intervention sociale, et pour permettre aux artistes de faire la promotion de leurs activités (théâtre, films, émissions de télé, etc.)

UNE IMAGE VAUT 1000 MOTS
À VOUS DE JOUER !

115　De quelle expression s'agit-il?

....

ÉNIGME

116　Quel est l'intrus parmi ces nombres? 21, 22, 28, 42, 49

....

LES « ACROS »
VOUS DEVEZ DÉCOUVRIR UN ACRONYME À PARTIR D'UNE DÉFINITION
OU D'UNE DESCRIPTION QUI PEUT ÊTRE FORT LARGE.

117　Organisme de bienfaisance et de loisirs pour jeunes
hommes créé en 1851

....

118　Train français très rapide ....

119　Agence spatiale américaine ....

120　Appareil permettant aux plongeurs
de respirer longtemps sous l'eau

....

121　Appel à l'aide dont le code officiel fut adopté
à Londres en 1912 ....

LA PETITE ÉCOLE

VOICI LE CÉLÈBRE JEU DU MARDI ! PROFITEZ-EN POUR FORMER DES
ÉQUIPES. NOUS VOUS PROPOSONS DEUX SÉRIES DE QUESTIONS POUR VOUS
MESURER COMME LES PARTICIPANTS EN STUDIO !

 **Première année**

Équipe A

126 Faites trois bonds de 5 à partir du nombre 20.

....

Équipe B

127 Bob a une douzaine de beignes et il en mange six.
Combien lui en reste-t-il ?

....

Deuxième année

Équipe A

128 Comment se nomme une personne qui vend des fleurs ?

....

Équipe B

129 Nommez deux moyens de transport dont le nom commence par la lettre A.

....

Troisième année

Équipe A

130 Quel est le produit (résultat) de cette multiplication : 7 X 9 ?

....

Équipe B

131 Combien font 10 X 0 ?

....

Quatrième année

Équipe A

132 Quelle ville du Québec a été fondée par Laviolette ?

....

Équipe B

133 Qui a fondé la ville de Québec ?

Cinquième année

Équipe A

134 Quel est le genre du mot « trampoline » ?

Équipe B

135 Conjuguez le verbe finir au subjonctif présent à la 2ᵉ personne du pluriel.

Sixième année

Équipe A

136 Qui était le chef du Parti québécois en 1976 ?

Équipe B

137 Quel fut le premier pays à être attaqué par l'Allemagne lors de la Deuxième guerre mondiale ?

Première secondaire

Équipe A

138 Quel est l'âge approximatif de la Terre?

....

Équipe B

139 Quelle est la moitié d'un tiers (1/3)?

....

Deuxième secondaire

Équipe A

140 Quel temps de verbe contient les terminaisons
« îmes », « âmes » et « ûtes »?

....

Équipe B

141 De quelle sorte sont les pronoms « qui, que, dont, où »?

....

Troisième secondaire

Équipe A

142 Quel est le terme médical pour la crise cardiaque?

....

Équipe B

143 Comment se nomme la division cellulaire par laquelle une cellule humaine se divise en deux cellules identiques ?

....

Quatrième secondaire

Équipe A

144 Quelle est la loi qui permet de trouver un côté d'un triangle lorsqu'on connaît les deux autres côtés et l'angle opposé au côté recherché ?

....

Équipe B

145 Quel dramaturge né en 1911 a écrit « La ménagerie de verre » ?

....

Cinquième secondaire

Équipe A

146 Où retrouve-t-on la Cour Internationale de Justice ?

....

Équipe B

147 En quelle année Pierre Elliott Trudeau devint-il premier ministre du Canada la première fois ?

....

ÇA COMMENCE PAR... ÇA FINIT PAR ...
ON CHERCHE ICI DES MOTS QUI COMMENCENT PAR LE SON « PI »

148 Outil de l'alpiniste ....

149 De l'eau dans la cour ....

150 Qui appelle la pitié ....

151 Grosse fleur ....

152 Entre la France et l'Espagne...

CARTES POSTALES

> Salut M'man,
>
> J'ai vu une tonne de shows au festival de Rio. Y'avait full de monde et la musique était méga forte. Mes tympans sont percés j'pense. Demain, je vais faire un tour dans la capitale. Tu diras à P'pa que je lui ai trouvé un livre sur son idole Pelé. C'est écrit dans leur langue, genre.
>
> Alex

153 Quelle ville visitera Alex le lendemain ?

....

154 En quelle langue le livre est-il écrit ?

....

155 Quel sport pratiquait Pelé ?

....

156 Nommez l'un des trois petits os de l'oreille ?

....

Hello ma chevreuil,

Excuse ma française écrite. Tu sais que je
prends des courses de langue mais je trouve
much difficile. Je retourner de la JFK demain.
Je aller t'amener faire de la skydiving et
du kayak à deux sièges. By the chemin, mes
parents célébratent leur 50e anniversary de
mariage le prochain semaine.

Bobby

157 De quelle ville part Bobby ?

....

158 Quelles noces fête-t-on lorsque l'on atteint
50 ans de mariage ?

....

159 Comment appelle-t-on un kayak à deux sièges ?

....

160 Qu'est-ce que le *skydiving* en français ?

....

CLASSE-TOI!

TOUS CES PERSONNAGES POLITIQUES ONT ÉTÉ ASSASSINÉS. CLASSEZ CES
TRAGIQUES ÉVÉNEMENTS EN ORDRE CHRONOLOGIQUE :

1) ANOUAR EL-SADATE   2) JOHN F. KENNEDY
3) BENAZIR BHUTTO   4) INDIRA GANDHI

161 ....

UNE IMAGE VAUT 1000 MOTS

À VOUS DE JOUER !

162 De quelle expression s'agit-il ?

....

ÉNIGME

163 Trouvez les réponses aux définitions et effectuez
l'opération pour trouver la lettre-mystère :
(partie avant du navire) - (découverte de l'Antiquité) = ?

....

ENTRE GUILLEMETS

À QUI ATTRIBUEZ-VOUS CES CITATIONS CONNUES?

164 Qui a dit : « *Pour faire leur travail de façon responsable, les médias ont pour mission de découvrir la vérité, de l'utiliser et de la faire connaître.* » ?

Indice : Il s'adressait aux médias peu de temps après son élection à la tête de l'Église catholique

165 Qui a dit : « *Même après toutes ces années, il y a toujours un petit instant de stress où je me dis : Il n'y a pas le feu.* » ?

Indice : Il a été le chef d'antenne du Téléjournal de Radio-Canada durant de nombreuses années

166 Qui a écrit : « *La fatalité triomphe dès qu'on croit en elle.* » ?

Indice : Féministe engagée, elle est aussi l'auteur de « Mémoires d'une jeune fille rangée »

167 Qui a chanté : « *On nous inflige des désirs qui nous affligent.* » ?

Indice : Il s'agit d'un extrait de la chanson « Foule sentimentale »

168 Qui a dit : « *L'architecte d'aujourd'hui n'a pas de fleur à sa bétonnière.* » ?

Indice : Il a publié les recueils « Paroles », « Spectacle » et « Fatras »

....

169 Quel homme scientifique a dit : « *Rien ne se perd, rien ne se crée, tout se transforme.* » ?

Indice : Considéré comme le père de la chimie moderne, il fut guillotiné en 1794

....

170 Quel écrivain québécois a dit : « *L'art n'est que de l'arbitraire mis en conserve.* » ?

Indice : Il a aussi écrit plusieurs téléromans dont « L'Héritage », « Bouscotte » et « Le Bleu du ciel »

....

171 Quel personnage de télévision a dit : « *Oh la la ! mes tout-petits ! Mais qu'est-ce qu'elle a encore fait celle-là avec ses pétards à la farine !* » ?

Indice : Il a fait le bonheur des enfants de 1957 à 1985

....

FAITES LA PAIRE
CE JEU CONSISTE À TROUVER, À PARTIR DE DEUX ÉLÉMENTS, DES
HOMOPHONES (HOMONYMES SONORES) QUI LES LIENT.

172 Petit baiser
Monument de la chanson française

....

173 Fromage à croûte fleurie
Rupture d'une pièce, d'un objet

....

174 Partie de la vache
Constante mathématique

....

175 Situé
Outil de menuisier

....

176 Onomatopée pour un petit bruit sec
Drogue dure

....

177 Se dit de quelque chose de raffiné
Antonyme de satiété

....

178 Art du mouvement rythmé
Qualité de ce qui est compact

....

179 Ville sacrée de l'Islam
Homme à la française

....

LA LETTRE MAUDITE
ATTENTION ! LA LETTRE MAUDITE NE DOIT PAS FIGURER DANS VOTRE RÉPONSE.

Lettre maudite : R

180 L'une des comédiennes principales du film « Le Déclin de l'empire américain »

....

181 L'un des comédiens principaux du même film

....

182 L'un des cinq Grands Lacs

....

Lettre maudite : N

183 Une capitale des provinces Atlantiques

....

184 Une capitale des provinces à l'ouest de l'Ontario

....

185 Un membre du groupe les Baronets

....

186 L'un des sept derniers entraîneurs-chef du Canadiens de Montréal

....

CLASSE-TOI !

CLASSEZ CES PEINTRES QUÉBÉCOIS SELON LA DATE DE LEUR DÉCÈS, DU PLUS
ANCIEN AU PLUS RÉCENT :

1) JEAN-PAUL RIOPELLE   2) OZIAS LEDUC
3) MARC-AURÈLE DE FOY SUZOR-CÔTÉ   4) MARC-AURÈLE FORTIN

187 ....

UNE IMAGE VAUT 1000 MOTS

À VOUS DE JOUER !

188 De quoi s'agit-il ?

....

ÉNIGME

189 À vous de trouver les deux mots que l'on cherche à partir
de leur définition pour ensuite résoudre l'équation :
(mari et femme) - (parasites capillaires) = ?

....

LA PYRAMIDE

LE PREMIER MOT TROUVÉ À L'AIDE DE L'INDICE NE CONTIENT QU'UNE SEULE LETTRE, LE DEUXIÈME, DEUX LETTRES, ET AINSI DE SUITE.

190 Au milieu du repas

191 Post-scriptum

192 Donne du lait

193 Sa tour penche

194 Se dit d'une chose capturée

195 À gauche de gauche

196 Symbole chimique de l'argent

197 De pierre, d'or ou de naissance

198 Prêtre, astrologue

199 Bordure

LE BON CITOYEN

VOICI VENU LE TEMPS DE TESTER VOS CONNAISSANCES EN MATIÈRE DE SÉCURITÉ ROUTIÈRE !

200 Que signifie ce pictogramme ?

....

LE MOT SACOCHE

LES MOTS QUI CORRESPONDENT AUX DÉFINITIONS SONT TOUS CONTENUS DANS LE MOT DE DÉPART; DANS L'ORDRE, MAIS SANS ÉGARD AUX ACCENTS.

Mot de départ: HEBDOMADAIREMENT

201 Échancrure du littoral ....

202 Une hallebarde par exemple ....

203 Salutation en début de lettre ....

204 Il faut le faire souvent lorsqu'il fait chaud

....

205 Mois de 31 jours ....

Mot de départ: COVOITURAGE

206 Mouvement d'un véhicule qui tourne

....

207 Plante potagère ....

208 Partie du train ....

209 Ensemble de vitres ....

210 Audace ....

LE POINT DU SAVOIR

IDENTIFIEZ LE SUJET À L'AIDE DES INDICES. LE DÉFI RÉSIDE DANS LE FAIT DE NE LIRE QU'UNE SEULE QUESTION À LA FOIS ! À L'ÉMISSION, UNE RÉPONSE TROUVÉE APRÈS LE PREMIER INDICE VAUT CINQ POINTS, APRÈS LE DEUXIÈME, QUATRE POINTS, ET AINSI DE SUITE.

211 Son existence aurait été portée à l'attention des Européens par des missionnaires dans les années 1840.

212 La reine Victoria l'aurait donné en cadeau à l'Empereur d'Allemagne.

213 Il est situé en Tanzanie, tout près du Kenya.

214 Plusieurs personnalités québécoises en ont effectué l'ascension au cours des dernières années.

215 Il s'agit du plus grand sommet d'Afrique.

....

216 Il en existe plus de 350 espèces regroupées en 39 genres.

217 Louis Pasteur a découvert qu'il s'agissait d'un micro-organisme vivant.

218 Ce champignon microscopique se développe rapidement au contact d'une solution sucrée.

219 Elle est très utilisée en boulangerie.

220 C'est grâce à elle si le pain gonfle.

....

LES DÉS À DÉCOUDRE

LE SUJET IDENTIFIÉ SUR LA SURFACE APPARENTE DU « DÉ » DEVRA SE TROUVER DANS VOTRE RÉPONSE.

221 Jeune chanteuse québécoise

....

222 Personnage d'une célèbre émission pour enfants

....

223 Réduire quelqu'un au silence

....

224 Ne pas être pris en considération, être méprisé

....

225 Pièce de Claude Gauvreau

....

Au moment d'aller sous presse, plus d'un million de dollar (1 178 000 $) ont été remis à ce jour, aux groupes et associations venus jouer à *L'union fait la force*.

LES SYLLABES

IL S'AGIT ICI DE RECONSTITUER LES MOTS, OU SUITES DE MOTS, DANS LESQUELS LES SYLLABES ONT ÉTÉ PLACÉES DANS LE DÉSORDRE. CHAQUE MOT RESTE ENTIER, LES SYLLABES NE SONT PAS MÉLANGÉES D'UN MOT À L'AUTRE MAIS SEULEMENT À L'INTÉRIEUR DE CHAQUE MOT.

226 nertour en sionridé ....

227 yerenra neu démieépi ....

228 queticlésiasec ....

229 culaparritéti ....

230 tionlaboracol ....

231 neu veépreu bleriter ....

232 termili les gâtsdé ....

233 neu bléesemas leuhouse ....

234 reduiécon un tenprédant ....

235 gradétionfla ....

236 miseumephé ....

237 tummaulti ....

238 tranisadmition ....

239 neu viactéti craveluti ....

240 neu titiontuins nanreficiè ....

241 cofitertra ....

LE MOT DÉCOUPÉ

VOUS DEVEZ TROUVER UN MOT COMPOSÉ DE LA PREMIÈRE SYLLABE
SONORE DE CHACUN DES MOTS ILLUSTRÉS.

242 Faire bouger de l'avant vers l'arrière

....

243 Longueur à parcourir

....

244 Fragile

....

NOMS ET PRÉNOMS

LES INDICES VOUS AIDERONT À IDENTIFIER TROIS PERSONNES CONNUES PORTANT LE PRÉNOM INDIQUÉ.

Prénom : MICHEL

245 Comédien québécois qui a incarné le père de Karine Vanasse et Louis-José Houde

246 Écrivain et dramaturge québécois

247 Chanteur français qui chante « comme s'il devait mourir demain »

Prénom : ROBERT

248 Acteur américain qui a beaucoup tourné avec Martin Scorsese

249 On l'a vu dans « Apocalypse now » de Francis Ford Coppola

250 Acteur et romancier québécois

CLASSE-TOI !

CLASSEZ D'OUEST EN EST CES ÎLES CANADIENNES :

1) DE TERRE-NEUVE   2) AUX BASQUES
3) DU-PRINCE-ÉDOUARD   4) DU HAVRE AUBERT

251

UNE IMAGE VAUT 1000 MOTS
À VOUS DE JOUER !

252 De quoi s'agit-il ? Attention au jeu de mots.

....

ÉNIGME

253 À la garderie, Rosalie dit que sa grand-mère n'a que cinq ans de plus que sa mère. Personne ne la croit et pourtant elle ne ment pas. Quelle est l'explication ?

....

QUATRE LETTRES, TROIS MOTS
IL VOUS FAUT REMETTRE LES QUATRE LETTRES DANS L'ORDRE AFIN DE FORMER UN MOT CORRESPONDANT À LA DÉFINITION, SANS ÉGARD AUX ACCENTS.

Lettres de départ : AERT

254 Manque son coup ou organe du corps humain

....

255 Défaut ....

256 Partie de la cheminée où l'on fait le feu

....

Lettres de départ : RIEP

257 Se recueille ....

258 Prénom de la chanteuse Béland

....

259 Plus mauvais ....

Lettres de départ : EARS

260 Deviendra ....

261 Les murs ou sa moustache

....

262 Unité de mesure de 100 mètres carrés mise au pluriel

....

Lettres de départ : OCEN

263 Fruit des conifères

....

264 Festin qui accompagne un mariage

....

265 Mesure de poids

....

Lettres de départ : ERTS

266 Adverbe qui indique l'intensité

....

267 Apporte son aide

....

268 Filet qui sert à capturer les poissons

....

QUESTIONS DE LETTRES
ON CHERCHE DES MOTS QUI « CONTIENNENT UNE SOLE »
(SANS ÉGARD À LA PRONONCIATION)

269 Qui manque de respect

....

270 Périmé ....

271 Utile en forêt ....

ON CHERCHE DES MOTS QUI CONTIENNENT UN « S »
À CHAQUE EXTRÉMITÉ

272 Hypocrite ....

273 L'une des étoiles les plus brillantes du ciel

....

274 Mickey en est une

....

275 Résultat heureux

....

276 Sa capitale est Denver

....

277 Jarret de veau servi avec l'os à moelle

....

278 Possession exclusive

....

279 Voix de femme

....

SON BALADEUR

LA SYLLABE DE DÉPART (OU SON ÉQUIVALENT SONORE) DEVIENNENT SUCCESSIVEMENT LE PREMIER, SECOND ET DERNIER SEGMENT DE TROIS MOTS DE TROIS SYLLABES. À VOUS DE TROUVER CES MOTS À L'AIDE DES DÉFINITIONS !

Son de départ : NO

280 Relatif à la navigation

....

281 Il habite Lanaudière

....

282 Petit jambon ....

Son de départ : NI

283 L'École nationale de police
du Québec y est située

....

284 Pointue et dans la bouche

....

285 Fausse accusation

....

Son de départ : VO

286 Localité de Provence

....

287 Compromettre par un mauvais usage

....

288 Sert à l'écoulement des eaux

....

Son de départ : ZI

289 Tordre le cou   ....

290 Avoir des doutes

....

291 Président français

....

CLASSE-TOI !

CLASSEZ CES PRIMATES SELON LEUR TAILLE, DU PLUS PETIT AU PLUS GRAND :

1) ORANG-OUTANG   2) GIBBON   3) GORILLE   4) CHIMPANZÉ

292 ....

UNE IMAGE VAUT 1000 MOTS

À VOUS DE JOUER !

293 De quoi s'agit-il ?

....

ÉNIGME

294 Si 800 poules pondent 800 oeufs en huit jours, combien d'oeufs pondront 400 poules en quatre jours ?

....

FAITES LA PAIRE

CE JEU CONSISTE À TROUVER, À PARTIR DE DEUX ÉLÉMENTS, UN TROISIÈME
QUI LES LIE OU PERMET DE LES COMBINER.

295 Des champs

De dentiste ....

296 D'air

De bec ....

297 Errant

De garde ....

298 De magie

De manège ....

299 Modeler

Tarte ....

LE MOT SACOCHE

LES MOTS QUI CORRESPONDENT AUX DÉFINITIONS SONT TOUS CONTENUS
DANS LE MOT DE DÉPART; DANS L'ORDRE, MAIS SANS ÉGARD AUX
ACCENTS.

Mot de départ : MORTE-SAISON

300 Prière ....

301 Débris d'objet ou morceaux de verre

....

302 Division annuelle

....

303 Issu du feu ....

304 Les officiers s'y réunissent

....

Mot de départ : PARALLÉLOGRAMME

305 Fruit ....

306 Unité de massc ....

307 Dans un livre ....

308 Ville italienne ....

309 Éventail de produits

....

LA LETTRE MAUDITE

ATTENTION ! LA LETTRE MAUDITE NE DOIT PAS FIGURER DANS VOTRE RÉPONSE.

Lettre maudite : O

310 L'une des trois provinces et territoires qui bordent l'Alberta

....

311 L'un des frères Kennedy ayant fait carrière en politique

....

312 Parties du corps que soigne un otorhinolaryngologiste

....

Lettre maudite : C

313 L'une des quatre façons de compter des points au football canadien ....

314 L'un des accès à Montréal par la Rive-Sud

....

Lettre maudite : R

315 Prénom de l'un des trois enfants de la famille Bougon

RÉPONSE ....

316 L'une des voix masculines à l'opéra

RÉPONSE ....

CLASSE-TOI !
CHACUN DE CES OISEAUX EST L'EMBLÈME AVIAIRE D'UNE PROVINCE CANADIENNE. CLASSEZ-LES SELON LEUR ENVERGURE, DU PLUS PETIT AU PLUS GRAND :

1) GEAI BLEU   2) BALBUZARD PÊCHEUR
3) GRAND-DUC D'AMÉRIQUE   4) MACAREUX MOINE

317 ....

UNE IMAGE VAUT 1000 MOTS
À VOUS DE JOUER !

318 De quoi s'agit-il ?

....

ÉNIGME

319 La majorité des mois de l'année ont 31 jours mais combien de mois ont 28 jours ?

....

ANIMAGES
VOUS DEVEZ TROUVER UNE ANAGRAMME AU MOT ÉCRIT EN LETTRES MAJUSCULES, À L'AIDE DE LA PHRASE ET DE L'ILLUSTRATION PROPOSÉES POUR CHAQUE QUESTION. UNE ANAGRAMME EST UN MOT QUI CONTIENT LES MÊME LETTRES QU'UN AUTRE MOT, MAIS DANS UN AUTRE ORDRE ET SANS ÉGARD AUX ACCENTS.

320 Dans la SOUTE, ils pensaient qu'ils naviguaient vers l'....

....

321  On tira une SALVE pendant la ...

....

322  Ce magicien TURC nous apprit un ...

....

323  On mit sa... à l'ENCAN

....

324 Il n'entendit que des BRIBES à cause
du bruit des ...

....

L'union fait la force en est actuellement à sa septième saison.

ÇA COMMENCE PAR... ÇA FINIT PAR ...

ON CHERCHE ICI DES MOTS QUI COMMENCENT PAR LE SON « FÉ »

325 Substances « messagères » émises par les animaux

....

326 Congratuler ....

327 Sanguinaire ....

328 Oiseau mythique qui renaît de ses cendres

....

329 Le plus grand os du corps humain

....

ON CHERCHE ICI DES MOTS QUI COMMENCENT PAR LE SON « FU »

330 Couleur apparentée au pourpre

....

331 Bouillon à base de poisson

....

332 Chanson de Charlebois

....

333 Mammifère carnivore

....

334 Mystificateur ....

CARTE POSTALE

Salut Janine,

Casablanca est magnifique! Mon boss et moi avons pris le bus pour aller faire un tour de chameau... ou de dromadaire? En tout cas ma femelle qui n'avait qu'une bosse avait la tête dure! En tombant, j'me suis fait une belle bosse près de l'Île-Liaque. Je te laisse, je dois retourner bosser.

Gérard

335 De quel animal est-il question?

....

336 Dans quel pays est Gérard?

....

337 Comment se nomme la femelle du dromadaire?

....

338 À quelle partie du corps a-t-il été blessé?

....

CLASSE-TOI!

CLASSEZ LES QUATRE PAYS MEMBRES DU ROYAUME-UNI SELON LEUR POPULATION, EN COMMENÇANT PAR LE PLUS POPULEUX:

1) PAYS DE GALLES   2) ANGLETERRE
3) IRLANDE DU NORD   4) ÉCOSSE

339 ....

UNE IMAGE VAUT 1000 MOTS
À VOUS DE JOUER !

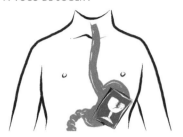

340 De quelle expression s'agit-il ?

....

ÉNIGME

341 Comment trouver le nombre 24 en partant des chiffres 5,5,5 et 1 une seule fois, et en utilisant trois des opérations simples (+, -, x, ÷). Un indice ? Pensez « hors des *entiers* battus » !

....

FAITES LA PAIRE
CE JEU CONSISTE À TROUVER, À PARTIR DE DEUX ÉLÉMENTS, UN TROISIÈME QUI LES LIE OU PERMET DE LES COMBINER.

342 Caillé

De poule

343 D'examen
De musique ....

344 À pied
Automobile ....

345 De cire
À mine ....

346 Soie
Pêche ....

347 De jour
De pêche ....

LA LETTRE PERDUE

À VOUS DE RECONSTITUER LES MOTS CI-DESSOUS EN Y RÉINSÉRANT LA LETTRE PERDUE.

Lettre perdue : B

348 IMU ....

349 HOY ....

350 ROUSTE ....

351 AOA ....

352 IMERE ....

Lettre perdue : N

353 VEI ....

354 EUI ....

355 IRVAA ....

356 ICOU ....

357 PEU ....

LA PYRAMIDE

LE PREMIER MOT TROUVÉ À L'AIDE DE L'INDICE NE CONTIENT QU'UNE SEULE LETTRE, LE DEUXIÈME, DEUX LETTRES, ET AINSI DE SUITE.

358 Voyelle parfaitement ronde

359 Donne un choix

360 Au centre d'un noeud

361 Chose que fait un ovipare

362 Formait un duo avec l'âne le soir du premier Noël

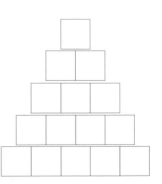

363 Début de stress

364 Connu

365 Certain

366 Devenu aigre

367 Célèbre coureur canadien

CLASSE-TOI !

CLASSEZ CES MONARQUES DU XIXe SIÈCLE DANS L'ORDRE DE LA PÉRIODE DURANT LAQUELLE ILS ONT RÉGNÉ SUR LA FRANCE :

1) CHARLES X   **2)** LOUIS-PHILIPPE   **3)** LOUIS XVIII   **4)** NAPOLÉON III

368 ....

UNE IMAGE VAUT 1000 MOTS

À VOUS DE JOUER !

369 De quelle expression s'agit-il ?

....

ÉNIGME

370 La somme de un plus deux, plus trois, plus quatre jusqu'à cent nous mène au total de 5050. Décrivez la méthode pour effectuer ce calcul en trente secondes, sans crayon ni papier.

....

LE BON CITOYEN
VOICI VENU LE TEMPS DE TESTER VOS CONNAISSANCES EN MATIÈRE DE SÉCURITÉ ROUTIÈRE !

371 Ces trois pictogrammes touristiques ont en commun un soleil dans un des coins. Que signifie ce symbole ?

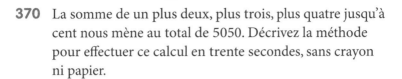

plein air

372 Que signifie ce panneau ?

....

373 Que signifie ce panneau ?

....

LE POINT DU SAVOIR

IDENTIFIEZ LE SUJET À L'AIDE DES INDICES. LE DÉFI RÉSIDE DANS LE FAIT DE
NE LIRE QU'UNE SEULE QUESTION À LA FOIS ! À L'ÉMISSION, UNE RÉPONSE
TROUVÉE APRÈS LE PREMIER INDICE VAUT CINQ POINTS, APRÈS LE DEUXIÈME,
QUATRE POINTS, ET AINSI DE SUITE.

374 Il est né le 12 février 1809 à Shrewsbury en Angleterre.

375 Il a voyagé cinq ans à bord du Beagle.

376 Il repose à l'Abbaye de Westminster, près d'Isaac Newton.

377 Sa théorie a révolutionné notre compréhension de la nature.

378 En 1859, il a publié sa théorie sur l'origine des espèces.

....

379 Elle est née le 14 décembre 1981 à Bruxelles, en Belgique.

380 Durant une bonne partie de son enfance, elle a pratiqué la gymnastique.

381 En 2000, cette athlète canadienne a participé à ses premiers Jeux olympiques.

382 Elle a remporté la médaille d'argent à la tour de 10 mètres aux JO de Pékin.

383 Elle a été nommée Athlète féminine de l'année par Plongeon Canada en 2008.

....

LES DÉS À DÉCOUDRE

LE SUJET IDENTIFIÉ SUR LA SURFACE APPARENTE DU « DÉ » DEVRA
SE TROUVER DANS VOTRE RÉPONSE.

384 Jeune homme ignorant

....

385 Soldat de l'ONU

....

386 Qui n'a aucun sens

....

387 Parc linéaire situé entre Saint-Jérôme
et Mont-Laurier

....

388 Contes persans où évolue la belle
Shéhérazade.

....

LES SYLLABES

IL S'AGIT ICI DE RECONSTITUER LES MOTS, OU SUITES DE MOTS, DANS
LESQUELS LES SYLLABES ONT ÉTÉ PLACÉES DANS LE DÉSORDRE. CHAQUE
MOT RESTE ENTIER, LES SYLLABES NE SONT PAS MÉLANGÉES D'UN MOT À
L'AUTRE MAIS SEULEMENT À L'INTÉRIEUR DE CHAQUE MOT.

389 erfeceftu neu mutapertion ....

390 seurstisbâ de thécalesdra ....

391 un seauoi sierchasé ....

392 dimofier sa jecretratoi ....

393 nesomigy ....

394 merblâ le vermentnegou ....

395 throlanphipie ....

396 neu tipoune netailien ....

397 cebéexuran ....

398 neu nesasiethé calole ....

399 nertonen nel'hym tionalna ....

400 tebilrielet ....

401 driercalen tid'actésvi ....

402 terliamen la meurru ....

LE MOT DÉCOUPÉ

VOUS DEVEZ TROUVER UN MOT COMPOSÉ DE LA PREMIÈRE SYLLABE
SONORE DE CHACUN DES MOTS ILLUSTRÉS.

403 Surveiller un espace donné

....

404 Morceau de pain

....

405 Au début du livre

....

NOMS ET PRÉNOMS

LES INDICES VOUS AIDERONT À IDENTIFIER TROIS PERSONNES CONNUES
PORTANT LE PRÉNOM INDIQUÉ.

Prénom : ALEXANDRE

406 Il a écrit « Le Zèbre »

....

407 Roi de Macédoine et grand conquérant durant
l'Antiquité   ....

408 Il a créé le Comte de Monte Cristo

....

Prénom : LUCIEN

409 Poète rock urbain québécois

....

410 Ex-premier ministre québécois

....

411 On a donné son nom à une station de métro à Montréal

....

Prénom : DANIEL

412 Auteur de « La petite marchande de prose » et « La fée Carabine »

....

413 Animateur de « Les coulisses du pouvoir » à Radio-Canada

....

414 Célèbre chef de Québec

....

CLASSE-TOI!

PLUSIEURS ÉTATS DU CENTRE DES ÉTATS-UNIS ONT UNE FORME RECTANGULAIRE OU PRESQUE. CLASSEZ CEUX-CI DU NORD AU SUD :

1) NOUVEAU-MEXIQUE **2)** COLORADO

3) DAKOTA DU NORD **4)** WYOMING

415 ....

UNE IMAGE VAUT 1000 MOTS

À VOUS DE JOUER !

416 De quoi s'agit-il ? *As du volant*

ÉNIGME

417 Un fermier élève des poules et des lapins. Il compte huit têtes et 28 pattes en tout. Combien a-t-il de poules et de lapins ?

....

QUESTIONS DE LETTRES

ON CHERCHE DES MOTS QUI CONTIENNENT UN « C »
À CHAQUE EXTRÉMITÉ

418 Utile en cas de crevaison ....

419 Célèbre astronome polonais ....

420 Rencontre entre deux corps ....

421 Celle d'Elvis Presley était rose ....

ON CHERCHE DES MOTS CONTENANT TROIS « I » (i)

422 Semblable ....

423 L'adjudant en est un ....

424 Illégal ....

425 Échappe à la vue ....

ON CHERCHE DES MOTS QUI SE TERMINENT PAR LES LETTRES « UNG »

426 Il a joué avec Crosby, Stills et Nash

427 Attention en allemand ....

428 Il a énoncé le concept d'inconscient collectif

....

429 Regretté chanteur français prénommé Alain

....

LE BON CITOYEN
TESTEZ VOS CONNAISSANCES EN MATIÈRE DE SÉCURITÉ ROUTIÈRE !

430 Que signifie ce panneau ? ....

SON BALADEUR
LA SYLLABE DE DÉPART (OU SON ÉQUIVALENT SONORE) DEVIENNENT
SUCCESSIVEMENT LE PREMIER, SECOND ET DERNIER SEGMENT DE TROIS
MOTS DE TROIS SYLLABES. À VOUS DE TROUVER CES MOTS À L'AIDE
DES DÉFINITIONS !

Son de départ : MAN

431 Célèbre politicien d'Afrique du Sud

....

432 Dans la semaine ....

433 Sorte de berger ....

Son de départ : RA

434 Mets à base de fromage fondu

....

435 On lui doit notre bon sirop

....

436 Bandit ....

Son de départ : FI

437 Visage ....

438 Sans limites ....

439 Diminution du volume d'un organe

....

Son de départ : DO

440 Gratin de pommes de terre

....

441 Adepte du judo ....

442 Chanteuse canadienne prénommée Nelly

....

CLASSE-TOI !

CES ARTISTES ONT MENÉ LEUR CARRIÈRE JUSQU'À UN ÂGE AVANCÉ.
CLASSEZ-LES SELON LEUR LONGÉVITÉ, DEPUIS LE PLUS JEUNE :

1) PAUL NEWMAN   2) MICHEL SERRAULT
3) HENRI SALVADOR   4) CHARLES TRENET

443 ....

UNE IMAGE VAUT 1000 MOTS
À VOUS DE JOUER !

444 De quoi s'agit-il ?

....

ÉNIGME

445 Le prince cherche le portrait de sa bien aimée, caché dans un coffret.

Sur un premier coffret est écrit : « Le portrait est ici ».

Sur un deuxième est écrit : « Le portrait n'est pas ici ».

Sur le troisième coffret on trouve : « Le portrait n'est pas dans le premier coffret ».

Une seule affirmation est vraie. Quel coffret le prince devra-t-il choisir ?

....

FAITES LA PAIRE

CE JEU CONSISTE À TROUVER, À PARTIR DE DEUX ÉLÉMENTS, DES HOMOPHONES (HOMONYMES SONORES) QUI LES LIENT.

446 Tristesse
Pénitencier

....

447 Animal de basse-cour
Partie d'un bateau

....

448 Chiffre
Ville légendaire

....

449 Trempé dans l'huile chaude
Libre ou gratuit dans l'Ouest

....

450 Très peu humide
De la famille du calmar

....

451 Déterminant (article) défini
Boisson bonne pour la santé

....

452 Aliment de base
Arbre à aiguilles

....

453 Course effrénée
Le cheval peut parfois le faire

....

454 Souple, flexible
Produit du raisin

....

455 À l'intérieur
365 rotations

....

LA PETITE ÉCOLE
VOICI LE CÉLÈBRE JEU DU MARDI ! PROFITEZ-EN POUR FORMER
DES ÉQUIPES; NOUS VOUS PROPOSONS DEUX SÉRIES DE QUESTIONS
POUR VOUS MESURER COMME LES PARTICIPANTS EN STUDIO !

Première année

Équipe A

456 Nommez un nombre pair situé entre zéro et 5.

....

Équipe B

457 Quel est le nombre total de doigts et d'orteils que
possèdent les humains?

....

Deuxième année

Équipe A

458 Quel grand poète québécois a composé la chanson
« Gens du pays » ?

....

Équipe B

459 Quelle est la source d'énergie de l'énergie éolienne ?

....

 Troisième année

Équipe A

460 J'ai 66 timbres que je veux partager également avec mes deux amis. Combien de timbres aurons-nous chacun ?

....

Équipe B

461 Nomme une couleur froide.

....

 Quatrième année

Équipe A

462 Conjuguez le verbe « jeter » à l'imparfait de l'indicatif, à la 2e personne du pluriel.

....

Équipe B

463 Comment appelle-t-on les animaux qui ne mangent que des végétaux ?

....

Cinquième année

Équipe A

464 Tentez un calcul mental : 2/4 + 3/6 = ?

....

Équipe B

465 Si X + 6 = 14, que vaut « X » ?

....

Sixième année

Équipe A

466 Comment appelle-t-on un polygone ayant huit côtés ?

....

Équipe B

467 Convertissez en pourcentage la fraction 2/5.

....

Première secondaire

Équipe A

468 Comment appelle-t-on l'appareil servant à mesurer la pression atmosphérique ? ....

Équipe B

469 Sur le globe terrestre, comment se nomment les lignes verticales qui forment des demi-cercles en joignant les deux pôles ?

....

Deuxième secondaire

Équipe A

470 Comment appelle-t-on la constante d'une valeur approximative de 3,14, qui est obtenue en divisant la circonférence d'un cercle par son diamètre?

....

Équipe B

471 Un mécanicien reçoit une paye de 270 $ pour neuf heures de travail. Combien est le taux unitaire (ou horaire) de cette situation? ....

 Troisième secondaire

Équipe A

472 Comment appelle-t-on les cordons fibreux et solides attachant les muscles aux os?

....

Équipe B

473 Dans la phrase suivante, conjuguez le verbe « to ski » au present continuous : « She___down the slope ».

....

Quatrième secondaire

Équipe A

474 Complète la phrase suivante en donnant la bonne forme à l'adjectif « good » : « Julie is the ___ student of the English class ».

....

Équipe B

475 Quel est le nom commun de la molécule CO_2 ?

....

Cinquième secondaire

Équipe A

476 Comment appelle-t-on un poème composé de quatorze vers disposés en deux quatrains sur deux rimes (embrassées) et deux tercets ?

....

Équipe B

477 Comment appelle-t-on l'ajustement des salaires des employés à l'augmentation du coût de la vie ?

....

La colonie artistique est au rendez-vous! En effet, 207 artistes différents sont venus jouer avec nous depuis la création de l'émission.

ÇA COMMENCE PAR... ÇA FINIT PAR ...
ON CHERCHE ICI DES MOTS QUI FINISSENT PAR LE SON « SON »

478 Sous-vêtement masculin ....

479 Ennemi du poisson ....

480 On les entonne seul ou en choeur

....

481 Le prof en donne ....

482 Friandise ....

ON CHERCHE ICI DES MOTS QUI COMMENCENT PAR LE SON « SA »

483 Pour la toilette ....

484 Animal amphibien ....

485 Vendredi, plus une seconde ....

486 On en répand pour éviter de glisser sur la glace

....

487 Tissu soyeux ....

CLASSE-TOI!
DANS UN THÉÂTRE À L'ITALIENNE, CLASSEZ CES PLACES SELON LEUR
PROXIMITÉ DE LA SCÈNE, EN COMMENÇANT PAR LA PLUS PROCHE :

1) CORBEILLE   2) BALCON   3) PARTERRE   4) ORCHESTRE

488 ....

UNE IMAGE VAUT 1000 MOTS
À VOUS DE JOUER !

489 De quelle expression s'agit-il ?

...... percer un secret

ÉNIGME

490 Quelqu'un doit peindre les numéros d'un nouveau quartier de cent maisons. De un à cent. Combien de fois devra-t-il peindre le chiffre neuf ? Essayez de répondre en effectuant le calcul mentalement.

....

À PREMIÈRE VUE
IL FAUT D'ABORD IDENTIFIER LA PREMIÈRE SYLLABE SONORE DU MOT REPRÉSENTÉ PAR L'IMAGE. CETTE SYLLABE EST ÉGALEMENT LA PREMIÈRE SYLLABE DE LA RÉPONSE.

491  Pour bien tout verrouiller

....

79

492		Articulation
		....
493		Poisson qui remonte les rivières
		....
494		Sur le toit des véhicules d'urgence
		....
495		Fait de ne plus être visible
		....

LE POINT DU SAVOIR

IDENTIFIEZ LE SUJET À L'AIDE DES INDICES. LE DÉFI RÉSIDE DANS LE FAIT DE NE LIRE QU'UNE SEULE QUESTION À LA FOIS ! À L'ÉMISSION, UNE RÉPONSE TROUVÉE APRÈS LE PREMIER INDICE VAUT CINQ POINTS, APRÈS LE DEUXIÈME, QUATRE POINTS, ET AINSI DE SUITE.

496 Sa construction a débuté le 16 mai 1924.

497 Elle contient environ 26 tonnes d'acier et mesure environ 33 mètres de hauteur.

498 Elle a été érigée à la mémoire de Paul de Chomedey, sieur de Maisonneuve.

499 La Société Saint-Jean-Baptiste l'a offerte à la Ville de Montréal dans les années 20.

500 Depuis sa restauration, de 2007 à 2009, elle est maintenant illuminée par 2844 diodes.

....

501 Je suis un mot de quatre lettres ayant fait son entrée dans la langue française vers le milieu du 20e siècle.

502 Contrairement à la croyance générale, je suis un mot féminin.

503 On peut m'écrire avec ou sans accent aigu sur le « E ».

504 D'origine grecque, on me conserve dans la saumure.

505 Je désigne un type de fromage à pâte molle.

....

506 L'histoire raconte le destin tragique d'un homme malade.

507 Gaston Lepage y joue le rôle d'un garde de sécurité.

508 Il est le seul film canadien à avoir remporté l'Oscar du Meilleur film étranger.

509 L'étincelante performance de Marie-Josée Croze dans ce film a littéralement propulsé sa carrière.

510 Il s'agit de l'oeuvre la plus récompensée de Denys Arcand.

....

À PREMIÈRE VUE

IL FAUT D'ABORD IDENTIFIER LA PREMIÈRE SYLLABE SONORE DU MOT
REPRÉSENTÉ PAR L'IMAGE. CETTE SYLLABE EST ÉGALEMENT LA PREMIÈRE
SYLLABE DU MOT QUE VOUS DEVRIEZ TROUVER EN RÉPONDANT À
LA QUESTION.

511 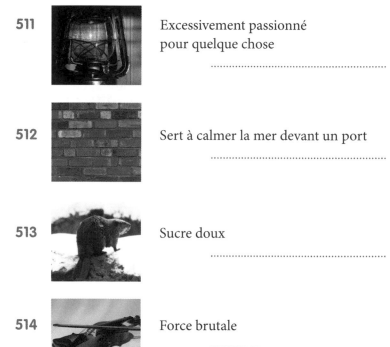 Excessivement passionné
pour quelque chose

....

512 Sert à calmer la mer devant un port

....

513 Sucre doux

....

514 Force brutale

....

515 Ouate absorbante

....

L'INGRÉDIENT MANQUANT

516 CHACUNE DES SEPT COUPURES DU DOLLAR US PORTE L'EFFIGIE D'UN PERSONNAGE. LEQUEL MANQUE À CETTE LISTE ?

Benjamin Franklin, Ulysses S. grant, Andrew Jackson, Alexander Hamilton, Abraham Lincoln, Thomas Jefferson

....

517 OUTRE LA BLANCHE ET LA NOIRE, SEPT COULEURS DE BOULES SONT EMPLOYÉES AU BILLARD AMÉRICAIN. LAQUELLE EST ABSENTE DE CETTE LISTE ?

Jaune, bleu, rouge, violet, vert, marron

....

518 QUEL INGRÉDIENT MANQUE À CETTE LISTE POUR PRÉPARER UNE MARGARITA ?

Citron, glaçons, lime, sel, triple-sec

....

519 AUX JEUX OLYMPIQUES D'HIVER, LES ÉPREUVES DE SKI SE DIVISENT EN SIX DISCIPLINES. LAQUELLE MANQUE À CETTE LISTE ?

Combiné nordique, ski alpin, ski de fond, surf des neiges, saut à ski

....

520 ON UTILISE POUR TÉLÉPHONER AU QUÉBEC SIX INDICATIFS RÉGIONAUX DIFFÉRENTS. LEQUEL MANQUE À CETTE LISTE ?

418, 450, 514, 581, 819

....

LA PYRAMIDE AZTÈQUE

LE PREMIER MOT TROUVÉ À L'AIDE DE L'INDICE CONTIENT TROIS LETTRES, LE DEUXIÈME, QUATRE LETTRES, ET AINSI DE SUITE, EN CONSERVANT LA LETTRE DU DÉBUT ET CELLE DE LA FIN.

P | T

521 Diminutif masculin

522 Porte d'entrée maritime des grandes villes

523 L'opium en est issu

524 Il est parfois voleur

525 Sans défaut

P A R F A I T

P | S

526 Étape du déplacement

527 Après, dans le temps qui suit

528 Les livres en contiennent plusieurs

529 Cousin européen de notre mouffette

530 Avancement

Plus de 70 jeux différents ont été créés pour L'union fait la force, par neuf concepteurs.

A	I

531 Suit Mohammed et précède Baba

532 Asile, refuge

533 Amer

534 Se dit d'un public peu susceptible d'être choqué

535 Endurci

ANIMAGES

VOUS DEVEZ TROUVER UNE ANAGRAMME AU MOT ÉCRIT EN LETTRES MAJUSCULES, À L'AIDE DE LA PHRASE ET DE L'ILLUSTRATION PROPOSÉES POUR CHAQUE QUESTION. UNE ANAGRAMME EST UN MOT QUI CONTIENT LES MÊME LETTRES, MAIS DANS UN AUTRE ORDRE ET SANS ÉGARD AUX ACCENTS.

536 Un coach RÉCENT a décidé d'échanger son...

....

537 Il pouvait cultiver des CACTÉES ou adopter des...

....

538 Il procéda au COULAGE du moule en portant une...

....

539  Dans les DÉSERTS, on ne commande pas de... *Dessert* ....

540  Ce PRÉSIDENT avait trouvé dans la salle plusieurs...

....

LE COURRIEL

```
De          : Gérard
Destinataire: Janine
Date        : 22 septembre 2009
Objet       : La technophobie, ça existe-tu?

Janine,

Je veux copier des photos sur un DVD. C'est-
tu ça qu'on appelle un disque dur? Pourtant,
en pilant dessus, il a cassé. Il faut faire
attention au signe + ou − du disque, comme
pour le sang. Est-ce qu'on a ça un truc pour
enregistrer des DVD dans notre ordi? Un ami m'a
dit de vérifier ma RAM, mais ça fait longtemps
qu'il est vendu mon camion...
```

541 Par quelle lettre est habituellement désigné le disque dur d'un ordinateur ?

....

542 Quelle composante de l'ordinateur sert à enregistrer des DVD et des CD-ROM ?

....

543 Comment se nomme l'élément du sang qui porte un signe positif ou négatif ?

....

544 Quel terme français désigne la RAM ?

....

```
De           : Le recteur
Destinataire : Tous les étudiants en grève
Date         : En souvenir de mai
Objet        : Fini la chienlit

En tant qu'ex Soixante-huitard, je somme les
étudiants de la Sorbonne de m'écouter. Votre
leader soliloque; peu m'en chaut! Diantre!
Si vous puissiez m'ouir, c'est avec force
épithètes que je vous dirais : Mettez un terme
à votre grève! Si vous voulez la détaxe, y'a
Andorre-la-Vieille pas très loin d'ici. J'ai
fait mon job de recteur. Maintenant, je pars
chercher le sens de ce que je viens d'écrire.

La grève, c'est des p'tits cailloux.
```

545 Que désigne le terme « Soixante-huitard » ?

....

546 Qu'est-ce qu'un soliloque ?

....

547 Que veut dire le mot « force » dans la phrase « C'est avec force épithètes » ?

....

548 Andorre-la-Vieille est la capitale de quel pays ?

....

CLASSE-TOI !

CLASSEZ CES DEVISES SELON LEUR VALEUR RELATIVE AU MOMENT DE LEUR CONVERSION À L'EURO EN COMMENÇANT PAR LA PLUS ÉLEVÉE :

1) PESETA ESPAGNOL   **2)** LIRE ITALIENNE
3) MARK ALLEMAND   **4)** FRANC FRANÇAIS

549   ....

UNE IMAGE VAUT 1000 MOTS
À VOUS DE JOUER !

550 De quelle expression s'agit-il ?

....

ÉNIGME

551 Une petite devinette pour enfants : Je suis mauvais et on me jette avec de mauvaises intentions. Qui suis-je ?

....

À PREMIÈRE VUE

IL FAUT D'ABORD IDENTIFIER LA PREMIÈRE SYLLABE SONORE DU MOT REPRÉSENTÉ PAR L'IMAGE. CETTE SYLLABE EST ÉGALEMENT LA PREMIÈRE SYLLABE DE LA RÉPONSE.

552  Partie mobile d'un moteur

....

553 Célèbre lieu touristique de Cuba

....

554  Tronc

....

555  Laisser tomber

....

556  Joute

....

FAITES LA PAIRE
CE JEU CONSISTE À TROUVER, À PARTIR DE DEUX ÉLÉMENTS, UN TROISIÈME QUI LES LIE OU PERMET DE LES COMBINER.

557 Partie d'une fenêtre
L'une des couleurs aux cartes

....

558 Précipitation de morceaux de glace
Partie de l'intestin ....

559 Partie d'un vilebrequin
Dans la chandelle ....

560 Personne qui ne joue plus dans certains jeux de cartes
Sans vie

....

561 Fraction
Portion de la journée de travail

....

562 Partie d'un château-fort
Outil du potier ....

563 Le peintre en produit
L'araignée en fabrique

....

564 Personne qui a vu
Objet utile à certaines courses

....

LA BÊTE NOIRE
UN JEU POUR TOUS LES AMOUREUX DE LA LANGUE FRANÇAISE

565 Des quatre mots suivants, trois commencent par un
« CH » prononcé comme un « K ». Lequel fait exception ?
CHLOROPHYLLE, CHONDRIOME, CHORIZO, CHARISME

....

566 Tous ces noms désignent des desserts sauf un. Lequel ?
CHARLOTTE, NAVARIN, QUATRE-QUARTS, BABA

....

567 Lequel de ces mots ne doit-on pas utiliser pour qualifier
un rendez-vous ?
ANNULÉ, REPORTÉ, CANCELLÉ, CONFIRMÉ

....

568 Comment appelle-t-on les habitants de la ville d'East
Angus en Estrie?
EASTANGUSSOIS, ANGUESTRIENS, ANGUSSIENS, ESTANGOUSINS

....

LA LETTRE PERDUE

À VOUS DE RECONSTITUER LES MOTS CI-DESSOUS EN Y RÉINSÉRANT LA LETTRE PERDUE.

Lettre perdue : S

569 LET ....

570 COINU ....

571 DEIN ....

572 TRAU ....

573 ABYAL ....

Lettre perdue : B

574 SARACANE ....

575 ARIUS ....

576 FAULER ....

577 RISANE ....

578 ARITRE ....

CLASSE-TOI !

CLASSEZ D'OUEST EN EST CES RÉGIONS ADMINISTRATIVES DU QUÉBEC :

1) CHAUDIÈRE-APPALACHES   2) BAS SAINT-LAURENT
3) OUTAOUAIS   4) LANAUDIÈRE

579 ....

UNE IMAGE VAUT 1000 MOTS
À VOUS DE JOUER !

580 De quelle expression s'agit-il ?

....

LE MOT SACOCHE
LES MOTS QUI CORRESPONDENT AUX DÉFINITIONS SONT TOUS
CONTENUS DANS LE MOT DE DÉPART; DANS L'ORDRE,
MAIS SANS ÉGARD AUX ACCENTS.

Mot de départ : PORTE-ÉTENDARD

581 Au bord de la forêt   ....

582 Arme de certains insectes   ....

583 On y trouve les bateaux   ....

584 Pâturage   ....

585 Voleur de fromage   ....

Mot de départ : CHASSE-GALERIE

586 Relève le goût des aliments ....

587 Dans l'aiguille ....

588 Ponctue la voie ferrée ....

589 Action de traquer ....

590 Malpropre ....

LES DÉS À DÉCOUDRE

LE SUJET IDENTIFIÉ SUR LA SURFACE APPARENTE DU « DÉ » DEVRA SE TROUVER DANS VOTRE RÉPONSE.

591 On appelle ainsi l'Everest

....

592 Il fut la résidence de plusieurs rois de France

....

593 Roman d'Antoine de Saint-Exupéry

....

594 Il met de l'ambiance dans une fête

....

595 En file indienne

....

LES SYLLABES

IL S'AGIT ICI DE RECONSTITUER LES MOTS, OU SUITES DE MOTS, DANS LESQUELS LES SYLLABES ONT ÉTÉ PLACÉES DANS LE DÉSORDRE. CHAQUE MOT RESTE ENTIER, LES SYLLABES NE SONT PAS MÉLANGÉES D'UN MOT À L'AUTRE MAIS SEULEMENT À L'INTÉRIEUR DE CHAQUE MOT.

596 neu lifortéma ....

597 la cucaleni ....

598 lebupréam ....

599 deteletcor ....

600 chuboureem de tepettrom ....

601 lumricucur taevi ....

602 neu melchabé setueuonc ....

603 rerti sa véceréren ....

604 niegamémalo ....

605 renaicentrite ....

606 tadégerpar ....

607 tomaonopée ....

608 neu tionéqua théquemamati ....

609 verenle ses mentstevê ....

610 un seauré tranetin ....

611 seroppo neu jecobtion ....

CLASSE-TOI!

CLASSEZ CES DIÈSES DANS L'ORDRE OÙ ILS APPARAISSENT À LA CLÉ D'UNE PORTÉE DE MUSIQUE :

1) DO   **2)** SOL   **3)** RÉ   **4)** FA

612 ....

UNE IMAGE VAUT 1000 MOTS

À VOUS DE JOUER !

613 De quoi s'agit-il ?

....

LE POINT DU SAVOIR

IDENTIFIEZ LE SUJET À L'AIDE DES INDICES. LE DÉFI RÉSIDE DANS LE FAIT DE NE LIRE QU'UNE SEULE QUESTION À LA FOIS ! À L'ÉMISSION, UNE RÉPONSE TROUVÉE APRÈS LE PREMIER INDICE VAUT CINQ POINTS, APRÈS LE DEUXIÈME, QUATRE POINTS, ET AINSI DE SUITE.

614 Très utilisé par l'homme, il sert entre autres à la construction de ponts, de maisons, de chapeaux et d'instruments de musique.

615 Certaines espèces fleurissent une seule fois... après 100 ans d'existence !

616 Ses tiges ligneuses sont appelées « chaumes ».

617 Cette plante a l'allure d'un arbre et pousse surtout dans les climats tropicaux d'Asie.

618 Ses pousses sont très appréciées dans la cuisine asiatique.

....

619 Je suis né en 1929 de la plume d'Elzie Crisler Segar.

620 Robin Williams m'a incarné dans un film paru en 1980.

621 Je ne vois que d'un seul oeil et je suis très colérique.

622 Brutus est mon ennemi juré.

623 Je suis amoureux d'Olive, mais aussi des épinards !

....

624 J'ai été ravagée par un incendie en 1871.

625 On me considère comme le berceau du syndicalisme américain.

626 Je suis située sur la rive sud-ouest du lac Michigan.

627 Je suis la troisième plus grande ville des États-Unis.

628 Je suis la ville d'adoption du 44e Président des États-Unis, Barack Obama.

....

APPROXIMOT
LA QUESTION VOUS MÈNE À UN MOT COMPOSÉ DES MÊMES LETTRES QUE LE MOT ILLUSTRÉ, SAUF UNE (SANS ÉGARD AUX ACCENTS).

629  Qui a perdu la raison

....

630  Ligne

....

631  Aspire les liquides ou les gaz

....

632 Grande paresse

....

633 Faille

....

LA BÊTE NOIRE
UN JEU POUR TOUS LES AMOUREUX DE LA LANGUE FRANÇAISE

634 Laquelle de ces actions ne peut-être exercée sur un formulaire?

LE REMPLIR, LE COMPLÉTER, LE RATURER, LE DÉCHIRER

....

635 Lequel de ces noms est du genre féminin?

HOROSCOPE, ORIFLAMME, PÉTONCLE, PLEUROTE

....

Anecdote – Au jeu La petite école, un comptable a été incapable de répondre à la question « Quel est le produit de 7 X 6 ? »

LA PYRAMIDE AZTÈQUE

LE PREMIER MOT TROUVÉ À L'AIDE DE L'INDICE CONTIENT TROIS LETTRES, LE DEUXIÈME, QUATRE LETTRES, ET AINSI DE SUITE, EN CONSERVANT LA LETTRE DU DÉBUT ET CELLE DE LA FIN.

636 C'est parfois un cul-de-sac

637 Sorte de céleri

638 Contient du miel

639 Mouvement régulier

640 Sorte de laitue

R E
R U E

641 Nom de l'ordinateur de
« 2001 : Odyssée de l'espace »

642 Grande salle servant d'entrée

643 Bâtiment du Monopoly

644 Compagnon de Gretel

645 Faut être « patient »
pour y rester

H L
HALL
HOTEL
HANSEL

646 Son nom vient du genièvre

647 Contraire de perte

648 Museau du cochon

649 Femelle du gorille

650 Il a peint Tahiti

G	N
G	a	i	n
G	R	o	i	n

CLASSE-TOI!
CLASSEZ CES QUATRE STYLES DE NAGE, DU PLUS RAPIDE AU PLUS LENT SELON LES RECORDS DU MONDE ATTEINTS SUR 100 MÈTRES :

1) PAPILLON   2) LIBRE   ﹒3) BRASSE   4) DOS

651 ....

UNE IMAGE VAUT 1000 MOTS
À VOUS DE JOUER !

652 De quoi s'agit-il?   Vaisseau fantôme

LA LETTRE PERDUE

À VOUS DE RECONSTITUER LES MOTS CI-DESSOUS EN Y RÉINSÉRANT LA LETTRE PERDUE.

Lettre perdue : O

653 MNCLE ....

654 SCRPIN ....

655 HMPHBE ....

656 MUCHIR ....

657 VILN ....

Lettre perdue : F

658 PROANE ....

659 ARANCHIR ....

660 ESTI ....

661 CARAE ....

662 LOT ....

LE MOT SACOCHE

LES MOTS QUI CORRESPONDENT AUX DÉFINITIONS SONT TOUS CONTENUS DANS LE MOT DE DÉPART; DANS L'ORDRE, MAIS SANS ÉGARD AUX ACCENTS.

Mot de départ : RÉGLEMENTATION

663 Partie du visage ....

664 On souhaite en avoir
une bonne aux cartes ....

665 Profit ....

666 Honorable ou d'assistance ....

667 Organe d'épuration du corps ....

Mot de départ : COMPTE-GOUTTES

668 Situe une oeuvre dans la
vie d'un compositeur ....

669 Relevé publié par la Bourse ....

670 Aliment apprêté ....

671 Elle est souvent composée
de pommes ou d'oignons ....

672 Petit parasite ....

LE POINT DU SAVOIR

IDENTIFIEZ LE SUJET À L'AIDE DES INDICES. LE DÉFI RÉSIDE DANS LE FAIT DE
NE LIRE QU'UNE SEULE QUESTION À LA FOIS ! À L'ÉMISSION, UNE RÉPONSE
TROUVÉE APRÈS LE PREMIER INDICE VAUT CINQ POINTS, APRÈS LE DEUXIÈME,
QUATRE POINTS, ET AINSI DE SUITE.

673 Les Égyptiens en mettaient dans les tombes comme
provision pour l'au-delà.

674 Il aurait été introduit en Amérique par Christophe
Colomb.

675 Il entre dans la famille des légumes bulbes.

676 Mangé cru, il peut être difficile à digérer.

677 Celui dit « vert » est souvent confondu avec l'échalote.

....

LE COURRIEL

```
De          : Gérard
Destinataire : Janine
Date        : 24 octobre 2009
Objet       : Je suis zen

Janine,

Vu que je suis aussi souple qu'un 2 x 4, j'ai
décidé de prendre des cours de yoga dans le
pays d'où la chose origine. Je suis capable
de faire des salutations au Soleil. J'attends
toujours qu'il me réponde. Pour le lotus, ça
va attendre parce que je me suis étiré le
couturier. Je connais rien à la couture, mais
ça fait mal !
```

678 Dans quel pays Gérard se trouve-t-il ?

....

679 Quels sont, en centimètres, les mesures d'un 2 x 4 ?

....

680 Où est situé le muscle appelé « couturier » ?

....

681 Outre une posture de yoga, qu'est-ce qu'un lotus ?

....

682 Que désigne le nom « zen » ?

....

CLASSE-TOI !
SAURIEZ-VOUS CLASSER CES ÉPOPÉES SELON L'ÉPOQUE OÙ SE SITUE LEUR HISTOIRE ?

1) ROBIN DES BOIS   2) LA TABLE RONDE
3) CHANSON DE ROLAND   4) TROIS MOUSQUETAIRES

683 ....

UNE IMAGE VAUT 1000 MOTS
À VOUS DE JOUER !

CHALET

684 De quoi s'agit-il ?

....

NOMS ET PRÉNOMS

LES INDICES VOUS AIDERONT À IDENTIFIER TROIS PERSONNES CONNUES PORTANT LE PRÉNOM INDIQUÉ.

Prénom : DENIS

685 Il a intitulé son premier « one man show » Bang ! ....

686 Acolyte d'Olivier Guimond ....

687 Deux comiques bruns ....

Prénom : JOHN

688 Un des Fab Four ....

689 Acteur américain, père d'Angelina Jolie ....

690 35e Président des États-Unis ....

Prénom : CATHERINE

691 Claveciniste, chroniqueuse et animatrice de culture à la SRC ....

692 Compositrice et interprète française à la chevelure blanche ....

693 Auteure-compositeure-interprète
québécoise ....

Prénom : MARIE

694 Elle a découvert le radium ....

695 Designer québécoise ....

696 Comédienne québécoise et
compagne de député ....

SON BALADEUR

LA SYLLABE DE DÉPART (OU SON ÉQUIVALENT SONORE) DEVIENNENT
SUCCESSIVEMENT LE PREMIER, SECOND ET DERNIER SEGMENT DE TROIS
MOTS DE TROIS SYLLABES. À VOUS DE TROUVER CES MOTS À L'AIDE
DES DÉFINITIONS !

Son de départ : BER

697 Ancien instructeur
des Nordiques ....

698 Accueillir ....

699 Fromage ....

Son de départ : QUÉ

700 Il est né à Québec

701 Devenir propriétaire

702 Certains de nos jeux le sont

Son de départ : NÉ

703 Qui peut avoir des conséquences fâcheuses

704 Jamais publié auparavant

705 Chaîne de montagnes européenne

Son de départ : DÉ

706 Épouse de Fred Caillou

707 Épidémie à l'échelle planétaire

708 Le puma en est un

SONS EN ORBITE

IL S'AGIT, À PARTIR D'UNE DÉFINITION, DE RECONSTITUER DES MOTS QUE NOUS AVONS SÉPARÉS EN TROIS SEGMENTS. CES MOTS ONT LE MÊME SEGMENT CENTRAL QUI VOUS SERT D'INDICE.

Son central : CÉR
Sons en orbite : SIN – MÉGA – ITÉ – CAR – OS - AL

709 Franchise, loyauté

710 Qui se rapporte à la prison ....

711 Cervidé préhistorique ....

Son central : MON
Sons en orbite : ELLE – HAR – ADE – LI – ICA - SAL

712 Petit instrument à vent ....

713 Bactérie qui se transmet
par les aliments ....

714 Breuvage ....

Son central : GNI
Sons en orbite : TIF - FIER – TÉ – CO – MA - DI

715 Qui est lié au processus d'acquisition
de connaissances ....

716 Idéaliser, grandir ....

717 Respect que l'on doit à quelqu'un
ou quelque chose ....

CLASSE-TOI !
VOUS HÉRITEZ DE LA CAVE À VINS DE VOS ANCÊTRES; CLASSEZ CES VIEUX
MILLÉSIMES SELON LEUR ÂGE, DU PLUS VIEUX AU PLUS RÉCENT :

1) MCMXXIX   2) MDCCCXCIX
3) MCMXLVII   4) MCMLXII

718 ....

UNE IMAGE VAUT 1000 MOTS
À VOUS DE JOUER !

SAGESSE

719 De quelle expression s'agit-il ?

....

ÉNIGME

720 Trois amis se rendent à une fête à 60 km de leur village. L'un d'eux a une moto deux places qui fait 50 km/h. Chacun marche à 5 km/h. Comment peuvent-ils se rendre à la fête en trois heures ?

....

TRAIN DE MOTS
LES MOTS DE CETTE LISTE DOIVENT ÊTRE REPLACÉS DANS UN ORDRE PERMETTANT DE CRÉER DES NOMS COMPOSÉS OU DES EXPRESSIONS.

AMOUR, CHAÎNE, ACTION, LETTRES, RÉACTION

721 ....

....

ÉTÉ, VACANCES, FEU, COUPE, CAMP

722 ....

....

LE POINT DU SAVOIR

IDENTIFIEZ LE SUJET À L'AIDE DES INDICES. LE DÉFI RÉSIDE DANS LE FAIT DE NE LIRE QU'UNE SEULE QUESTION À LA FOIS ! À L'ÉMISSION, UNE RÉPONSE TROUVÉE APRÈS LE PREMIER INDICE VAUT CINQ POINTS, APRÈS LE DEUXIÈME, QUATRE POINTS, ET AINSI DE SUITE.

723 Malgré les apparences, je possède un système nerveux assez développé.

724 Les femelles de ma race s'accouplent juste après la mue.

725 J'existe en plus de 4000 espèces dont le tourteau, l'étrille et l'araignée de mer.

726 J'arbore une carapace en forme de coeur.

727 On ne mange souvent que mes pattes.

....

Patrice a jusqu'à maintenant accueilli 470 groupes, associations ou organismes différents sur le plateau de l'émission.

LES DÉS À DÉCOUDRE

LE SUJET IDENTIFIÉ SUR LA SURFACE APPARENTE DU « DÉ » DEVRA SE
TROUVER DANS VOTRE RÉPONSE.

728 Titre d'un récent album
de Francis Cabrel

....

729 Très utiles sur les véhicules l'hiver

....

730 Expression qui signifie « la belle vie »,
ou « une vie oisive et opulente »

....

731 Premier tome de la trilogie
« Millenium »

....

732 Connaître un échec

....

LES SYLLABES

IL S'AGIT ICI DE RECONSTITUER LES MOTS, OU SUITES DE MOTS, DANS
LESQUELS LES SYLLABES ONT ÉTÉ PLACÉES DANS LE DÉSORDRE. CHAQUE
MOT RESTE ENTIER, LES SYLLABES NE SONT PAS MÉLANGÉES D'UN MOT À
L'AUTRE MAIS SEULEMENT À L'INTÉRIEUR DE CHAQUE MOT.

733 tisavermentse ....

734 gècolnela ....

735 québialam ....

736 sanrietecrois ....

737 loguetourgen ....

738 tecomentpi ....

739 neu sioncusdis méeani ....

740 merclaré dil'adtion ....

741 crersa un liervache ....

742 neu teslisepo siexveces ....

743 senmentconte ....

744 serpas lcs notmetes ....

745 derchymepa ....

746 voira un centac quetanbrini

....

747 la degran cheufause ....

748 sous tehau sionten ....

NOMS ET PRÉNOMS

LES INDICES VOUS AIDERONT À IDENTIFIER TROIS PERSONNES CONNUES
PORTANT LE PRÉNOM INDIQUÉ.

Prénom : ALPHONSE

749 Il a créé un mouvement
très populaire au Québec ....

750 Gangster américain plutôt connu sous
le diminutif de son prénom ....

751 Romancier et auteur français auteur
de « Lettres de mon moulin » ....

Prénom : ROGER

752 Cinéaste français qui fit découvrir Brigitte Bardot
et qui l'épousa

....

753 Producteur québécois de cinéma

....

754 Simon Templar ou l'agent 007

....

SANS VOYELLES
À VOUS DE RECONSTITUER LES MOTS CI-DESSOUS EN Y RÉINSÉRANT
LES VOYELLES.

755 S_ _D_R_ ....

756 S_BT_RF_G_ ....

757 B_ _SS_L_ ....

758 _T_D_ _NT ....

759 T_RB_N_ ....

760 _ST_R_SQ_ _ ....

761 W_SH_NGT_N ....

762 Z_N ....

763 PR_M_T_ ....

764 V_ _NQ_ _ _R ....

CLASSE-TOI!

VOICI QUATRE LAURÉATS DU PRIX NOBEL DE LA PAIX. CLASSEZ-LES SELON
L'ANNÉE DURANT LAQUELLE ON LEUR A DÉCERNÉ CETTE DISTINCTION :

1) NELSON MANDELA   2) DALAÏ LAMA
3) MÈRE TERESA   4) MARTIN LUTHER KING

765 ....

UNE IMAGE VAUT 1000 MOTS

À VOUS DE JOUER !

MONSTRE

766 De quoi s'agit-il ?

un monstre de mer

ÉNIGME

767 Quel est le prochain nombre de la suite, sachant qu'il doit contenir le dernier élément d'une suite bien connue de la langue française : 11,12,13,14,15,16 ?

....

SPRINT À RELAIS

VOUS DEVEZ RÉPONDRE À CES QUESTIONS PAR UN MOT DONT LES PREMIÈRES LETTRES CORRESPONDENT AUX DERNIÈRES LETTRES DU MOT PRÉCÉDENT. IL PEUT S'AGIR DE LA DERNIÈRE OU DES DEUX, TROIS OU QUATRE DERNIÈRES. À VOUS DE TROUVER !

768 **Lettres de départ : SON**
Style de composition bien connue de Beethoven

....

769 Coup porté sans arme dans les arts martiaux

....

770 Il a quitté son pays

....

771 Précipitation de petits grains de glace

....

772 Réservoir de céréales

....

773 Utile pour travailler, on le place au centre de la cuisine

....

774 Dans une aventure de Tintin, il est bleu

....

775 Cet acronyme signifie « Universal Serial Bus »

....

SPRINT À RELAIS

LES PREMIÈRES LETTRES CORRESPONDENT AUX DERNIÈRES LETTRES
DU MOT PRÉCÉDENT. IL PEUT S'AGIR DE LA DERNIÈRE OU DES DEUX,
TROIS OU QUATRE DERNIÈRES. À VOUS DE JOUER !

776 Lettres de départ : MA
Il travaille entre autres avec de la brique et du béton

....

777 Tableau ordonné de toutes les formes d'un verbe

....

778 À la fois une dynastie chinoise et le mot anglais
pour « chanson »

....

779 Un rêve, une illusion

....

780 Un roman très connu d'Émile Zola

....

781 Celle de l'Everest frôle les neuf kilomètres

....

782 Dorénavant

....

LA LETTRE PERDUE

À VOUS DE RECONSTITUER LES MOTS CI-DESSOUS EN Y RÉINSÉRANT LA
LETTRE PERDUE.

Lettre perdue : B

783 IMU   ....

784 HOY   ....

785 ROUSTE ....

786 AOA ....

787 IMERE ....

Lettre perdue : S

788 CAI ....

789 OIRI ....

790 CORET ....

791 OAI ....

792 MUELI ....

À PREMIÈRE VUE

IL FAUT D'ABORD IDENTIFIER LA PREMIÈRE SYLLABE SONORE DU MOT REPRÉSENTÉ PAR L'IMAGE. CETTE SYLLABE EST ÉGALEMENT LA PREMIÈRE SYLLABE DU MOT QUE VOUS DEVRIEZ TROUVER EN RÉPONDANT À LA QUESTION.

793 Insecte brillant

....

794 Partie d'une bicyclette

....

795 Genre cinématographique ou littéraire

....

796 Petit animal qui vit sous les pierres

....

797 Inconfort au niveau du ventre

....

LA VOYELLE COUCOU

COMME LES OEUFS DU COUCOU DÉPOSÉS DANS LE NID D'AUTRES OISEAUX, UNE VOYELLE A REMPLACÉ ICI TOUTES LES AUTRES VOYELLES DU MOT QUE L'ON CHERCHE. ATTENTION, LA VOYELLE COUCOU NE PEUT PAS SE TROUVER DANS LA RÉPONSE.

Voyelle coucou : O

798 CHORCHOLL ....

799 MOROCLO ....

800 GONSONG ....

801 GOSTOTOF ....

Voyelle coucou : A

802 VAALAT ....

803 TRACHAAR ....

804 GAASSA ....

805 BASTAARA ....

806 CAMALAS ....

QUESTIONS DE LETTRES
ON CHERCHE DES MOTS QUI COMMENCENT PAR « C » ET QUI CONTIENNENT UN ACCENT GRAVE

807 Le pin en est un ....

808 Compagnon de travail ....

809 Elle est tirée par le cheval ....

ON CHERCHE DES MOTS QUI CONTIENNENT TROIS « A »

810 Père Noël anglophone ....

811 Gros serpent ....

812 Célèbre désert ....

ON CHERCHE DES MOTS QUI SE TERMINENT PAR LES LETTRES « ONG »

813 Instrument en forme de disque servant
à marquer le temps ....

814 Gorille ....

815 Fleuve d'Asie ....

CLASSE-TOI!
CLASSEZ CES SIGNES DE NOTATION MUSICALE SELON LEUR DURÉE EN
COMMENÇANT PAR LA VALEUR LA PLUS BRÈVE :

1) RONDE   **2)** CROCHE   **3)** BLANCHE   **4)** NOIRE

816 ....

UNE IMAGE VAUT 1000 MOTS
À VOUS DE JOUER !

817 De quoi s'agit-il ? .....pain doré.....

ÉNIGME

818 Tous les jours Luc prend l'ascenseur et descend du vingtième étage pour aller travailler. Pour rentrer chez lui, il monte au seizième et doit faire le reste à pied. Pourquoi ?

....

LES DÉS À DÉCOUDRE

LE SUJET IDENTIFIÉ SUR LA SURFACE APPARENTE DU « DÉ » DEVRA SE TROUVER DANS VOTRE RÉPONSE.

819   Rachitique

....

820   Un utilisateur avisé en paye le solde chaque mois

....

821   Écouter très attentivement

....

822   Enlever tout échappatoire à quelqu'un

....

823 Chambord, Chenonceau et Cheverny en font partie

....

824 Appartenir à la noblesse

....

APPROXIMOT
LA QUESTION VOUS MÈNE À UN MOT COMPOSÉ DES MÊMES LETTRES QUE LE MOT ILLUSTRÉ, SAUF UNE (SANS ÉGARD AUX ACCENTS).

825 Poignard

....

826 Mouvement de l'eau

....

827 Espèce de chien

....

828 Sous la maison

....

LE POINT DU SAVOIR

IDENTIFIEZ LE SUJET À L'AIDE DES INDICES. LE DÉFI RÉSIDE DANS LE FAIT DE NE LIRE QU'UNE SEULE QUESTION À LA FOIS ! À L'ÉMISSION, UNE RÉPONSE TROUVÉE APRÈS LE PREMIER INDICE VAUT CINQ POINTS, APRÈS LE DEUXIÈME, QUATRE POINTS, ET AINSI DE SUITE.

829 Il a régné sur l'Écosse de 1040 à 1057.

830 C'est aujourd'hui le nom d'un clan écossais.

831 Selon une légende américaine, la seule prononciation de ce nom porterait malheur aux acteurs.

832 C'est le titre d'un opéra de Giuseppe Verdi.

833 C'est l'une des tragédies les plus connues de William Shakespeare.

....

834 Son nom lui a été donné en l'honneur du roi George III.

835 On y trouve les rivières Miramichi et Nipisiguit ainsi que le mont Carleton.

836 On dit que Jean Cabot aurait été le premier à découvrir ce territoire.

837 Cette province de l'Est faisait partie des provinces fondatrices du Canada en 1867.

838 Fredericton en est la capitale.

....

ÇA COMMENCE PAR ... ÇA FINIT PAR ...

ON CHERCHE ICI DES MOTS QUI COMMENCENT PAR LE SON « DRA »

839 Symbole textile représentant un pays

....

840 Bonbon ....

841 Vampire ....

842 Bateau viking ....

843 Ce n'est pas une comédie

....

ON CHERCHE ICI DES MOTS QUI FINISSENT PAR LE SON « NÉ »

844 Partie de l'oeil ....

845 Os de la jambe ....

846 Fjord québécois ....

847 Trouver la réponse à une énigme

....

848 Offrir ....

Réal Bossé est l'artiste ayant participé le plus souvent à l'émission : il a rendu visite à Patrice à 10 reprises, Chantal Lamarre à neuf reprises et Sébastien Benoit, Mireille Deyglun, Mario Jean, et Sophie Prégent ont chacun huit participations.

TRAIN DE MOTS

LES MOTS DE CETTE LISTE DOIVENT ÊTRE REPLACÉS DANS UN ORDRE PERMETTANT DE CRÉER DES NOMS COMPOSÉS OU DES EXPRESSIONS.

TOUTE, BÊTE, ARMÉE, SOMME, AIR

849 ....

....

ROUE, TOUR, FORTUNE, CHAPEAU, DEMI

850 ....

....

LE COMPTOIR DES OBJETS TROUVÉS

AU COMPTOIR DES OBJETS TROUVÉS, ON TROUVE DES OBJETS QUE DES GENS OU PERSONNAGES CÉLÈBRES AURAIENT ÉGARÉS. IL FAUT IDENTIFIER CES PERSONNES À L'AIDE DE CES INDICES.

851 C'était un clown « esstradinaire »

....

852 Un très grand chanteur

....

853 Elle croit que « l'amour existe encore »

....

854 Il déteste l'ail, les miroirs et les crucifix

....

855 Il est allé sur la Lune

....

LES SUBSTITUTS

ON CHERCHE DES EXPRESSIONS CONNUES, PRINCIPALEMENT DES QUÉBÉCISMES ET EXPRESSIONS FAMILIÈRES, AUXQUELLES ON A SUBSTITUÉ LES MOTS-CLEF PAR DES MOTS DE MÊME SENS. À VOUS DE LES RECONSTITUER !

856 Avoir une rigolote betterave

....

857 Vélocipède à pétrole raffiné

....

858 Il nous faudra actionner le petit loquet !

....

859 On ne peut faire profiter les cousins du sanglier avec de l'élément aqueux translucide

....

860 Roupiller sur l'interrupteur

....

861 Avec des suppositions, on peut aller aisément dans la capitale de la France

....

862 Ne t'excite pas la pilosité des membres inférieurs

....

863 Un plaisir sombre

....

864 Exister à l'intérieur du produit du fruit pressé

....

865 Il se trouve beaucoup de gens à la cérémonie religieuse

....

CLASSE-TOI!

CLASSEZ CES ANIMAUX À FOURRURE DU CANADA EN FONCTION DE LEUR POIDS, DU PLUS GROS AU PLUS PETIT :

1) RENARD ROUX   2) VISON   3) CASTOR   4) LOUP

866 ....

UNE IMAGE VAUT 1000 MOTS

À VOUS DE JOUER !

867 De quoi s'agit-il ?

plaisir coupable

ÉNIGME

868 Ces lettres remplacent des chiffres pour composer un symbole. Suivant cette logique, quelle sont les deux lettres qui suivent ? C.AD

....

LA LETTRE DE TROP

UNE LETTRE DE TROP EST INSÉRÉE DANS LES MOTS-INDICES. MÊME SI CETTE LETTRE BROUILLE LES PISTES, IL VOUS FAUT IDENTIFIER LE MOT QUI S'Y CACHE !

869 EDIREDOIN

870 REMBLÈMER

871 GAURAGEU

872 STASÏGA

873 PATON

874 FALAFELU

875 INDAHON

876 TÉCORCET

877 PAUSTELU

878 SIRESTER

879 HEUIT

880 ROUPOTURE

LES DÉS À DÉCOUDRE

LE SUJET IDENTIFIÉ SUR LA SURFACE APPARENTE DU DÉ DEVRA SE TROUVER DANS VOTRE RÉPONSE.

881 Expression qui dit qu'il est préférable de différer une décision au jour suivant pour prendre le temps de réfléchir

882 Moyen de communication d'urgence entre les chefs d'état

....

883 Si on en croit cette expression, les simples d'esprits seraient favorisés dans leurs entreprises

....

884 Dispositif qui, placé dans un avion, permet de garder un historique du vol et des communications

....

885 Les politiciens en font beaucoup pendant les campagnes électorales

....

LE COURRIEL

```
De            : Fureteur anonyme
Destinataire  : Mon vieux pote
Date          : 14 octobre 2009
Objet         : Découvrir par ses erreurs

C'est instructif de fureter sur Internet! En
cherchant Flushing Meadows, je suis tombé sur
l'Anse aux Meadows. Je ne savais rien de ce lieu
à Terre-Neuve. L'autre jour, je cherchais le
poivre de cayenne et je suis tombé sur la fusée
Ariane. Une recherche sur les pétroglyphes m'a
mené à Petrograd que je connaissais pas non plus.
Bravo pour les outils de recherche qui comprennent
mal; grâce à eux on découvre l'étendue de notre
ignorance!

Un curieux insatiable
```

886 Quel est le nom actuel de cette ville nommée Petrograd en Russie ?

....

887 Quel sport a rendu célèbre le parc Flushing Meadows de New York?

....

888 Quelle découverte archéologique a marqué l'Anse aux Meadows de Terre-Neuve?

....

889 Le poivre de cayenne et la fusée Ariane ont quel département français d'outre-mer en commun?

....

LA VOYELLE COUCOU

COMME LES OEUFS DU COUCOU DÉPOSÉS DANS LE NID D'AUTRES OISEAUX, UNE VOYELLE A REMPLACÉ ICI TOUTES LES AUTRES VOYELLES DU MOT QUE L'ON CHERCHE. ATTENTION, LA VOYELLE COUCOU NE PEUT PAS SE TROUVER DANS LA RÉPONSE.

Voyelle coucou : I (i)

890 PIRRICHI ....

891 INCLIVI ....

892 BIBILINI ....

893 VINGIINCI ....

894 CIRTIN ....

895 SIIDI ....

LE POINT DU SAVOIR

IDENTIFIEZ LE SUJET À L'AIDE DES INDICES. LE DÉFI RÉSIDE DANS LE FAIT DE NE LIRE QU'UNE SEULE QUESTION À LA FOIS ! À L'ÉMISSION, UNE RÉPONSE TROUVÉE APRÈS LE PREMIER INDICE VAUT CINQ POINTS, APRÈS LE DEUXIÈME, QUATRE POINTS, ET AINSI DE SUITE.

896 Elle génère des dizaines de milliards de recettes chaque année.

897 Elle est entrée en vigueur le 1er janvier 1991.

898 Elle a remplacé la TVF qui datait de 1924.

899 Elle s'applique aux biens et services, à l'exception entre autres des médicaments prescrits sous ordonnance.

900 D'abord fixée à 7 %, cette taxe est maintenant établie à 5 %.

....

901 Plusieurs de nos Patriotes y ont connu l'exil au 19e siècle.

902 Elle a été l'hôte de Jeux olympiques d'été à deux reprises, dont ceux de 1956.

903 Les principales villes de ce pays sont situées au sud-est du territoire.

904 Elle fournit 30 % de la laine mondiale.

905 Sa capitale est Canberra.

....

UNE IMAGE VAUT 1000 MOTS
À VOUS DE JOUER !

906 De quoi s'agit il ?

arc - en -ciel

ÉNIGME

907 Avant la fête au château, le tonneau de vin plein pèse 230 kilos. Après, le tonneau est à moitié vide et ne pèse plus que 120 kilos. Combien pèse le tonneau vide ?

SPRINT À RELAIS
LES PREMIÈRES LETTRES CORRESPONDENT AUX DERNIÈRES LETTRES DU MOT PRÉCÉDENT. IL PEUT S'AGIR DE LA DERNIÈRE OU DES DEUX, TROIS OU QUATRE DERNIÈRES. À VOUS DE JOUER !

908 **Lettres de départ : PRO**

Il est souvent servi avec du melon

909 Prénom du meilleur ami d'Huckleberry Finn

....

910 Mot d'origine italienne signifiant « loterie »

....

911 Plastifier un document sur un support de bois

....

912 Déesse romaine de la sagesse, de la guerre,
des sciences et des arts

....

913 On le dit de personnes stressées

....

914 Émission américaine où l'on peut voir Ernie et Big Bird

....

915 Mettre une étiquette

....

LE COMPTOIR DES OBJETS TROUVÉS

AU COMPTOIR DES OBJETS TROUVÉS, ON TROUVE DES OBJETS QUE DES GENS OU PERSONNAGES CÉLÈBRES AURAIENT ÉGARÉS. IL FAUT IDENTIFIER CES PERSONNES À L'AIDE DE CES INDICES.

916 Il doit tout à Victor Hugo

....

917 Elle est la grand-maman de Harry et de William

....

918 Elle a souvent critiqué les humoristes québécois

....

919 Il a écrit, entre autres, la célèbre chanson « Imagine »

....

920 Il a connu son Waterloo à la bataille de Waterloo

....

SANS VOYELLES
À VOUS DE RECONSTITUER LES MOTS CI-DESSOUS EN Y RÉINSÉRANT
LES VOYELLES.

921 BR_LL_NT_N_ ....

922 V_LC_N ....

923 P_RT_-M_NN_ _ _ ....

924 Z_ST_ ....

925 PHR_ _T_Q_ _ ....

926 R_B_N_T ....

927 GR_N_D_N_ ....

928 TW_ _D ....

929 H_M_C ....

930 GL_C_M_ _ ....

UNE IMAGE VAUT 1000 MOTS
À VOUS DE JOUER !

931 De quelle expression s'agit-il ?

....

ÉNIGME

932 Quel mot de quatre lettres change complètement sauf
pour sa deuxième lettre lorsqu'il est au pluriel ?

....

LES SUBSTITUTS
ON CHERCHE DES EXPRESSIONS CONNUES, PRINCIPALEMENT DES
QUÉBÉCISMES ET EXPRESSIONS FAMILIÈRES, AUXQUELLES ON A SUBSTITUÉ
LES MOTS-CLEF PAR DES MOTS DE MÊME SENS. À VOUS DE LES
RECONSTITUER !

933 Être venu au monde pour un minuscule produit de base
de l'humanité

....

934 Se bidonner à s'ouvrir le gorgoton

....

935 Devenir comme une toute petite pompe

....

936 Faire un tour complet sur une pièce de monnaie d'un dixième de dollar

....

937 Se clore le panneau amovible

....

938 Faire une mise en pli au dérisoire

....

939 Propulser ce qu'apporte son trèfle à quatre feuilles

....

940 Regarder arriver

....

941 Entretenir de beaux sentiments envers son suivant

....

942 Effectuer la considérable requête

....

ÇA COMMENCE PAR... ÇA FINIT PAR...

ON CHERCHE ICI DES MOTS QUI FINISSENT PAR LE SON « GÉ »

943 Le temps des Fêtes nous en accorde un long

....

944 Ils s'occupent de leurs moutons

....

945 Endroit où poussent les fruits

....

946 Couvert de neige

....

947 Il fait le pain

ON CHERCHE ICI DES MOTS QUI COMMENCENT PAR LE SON « RU »

948 Donnée par le cheval

....

949 Cri du lion

950 Elle contient le miel et les abeilles

....

951 Maladie fréquente en hiver

....

952 La vache en est un

....

LA VOYELLE COUCOU

COMME LES OEUFS DU COUCOU DÉPOSÉS DANS LE NID D'AUTRES OISEAUX, UNE VOYELLE A REMPLACÉ ICI TOUTES LES AUTRES VOYELLES DU MOT QUE L'ON CHERCHE. ATTENTION, LA VOYELLE COUCOU NE PEUT PAS SE TROUVER DANS LA RÉPONSE.

Voyelle coucou : E

953 PEPELLEN ....

954 CEFERD ....

955 LEMBEGE ....

956 SEFREN ....

957 MEESTEKE ....

Voyelle coucou : U

958 CURUUNDRU ....

959 HURNUUS ....

960 PRUFUT ....

961 URGUT ....

962 FURFUDUT ....

Des participants sont venus de loin pour jouer avec nous; des groupes ont fait le voyage depuis la Gaspésie, le Bas-Saint-Laurent et la région du Saguenay-Lac-Saint-Jean.

UNE IMAGE VAUT 1000 MOTS
À VOUS DE JOUER !

963 De qui s'agit-il ?

....

ÉNIGME

964 Une mère a sept enfants et sept biscuits dans une boîte. Les enfants veulent tous un biscuit mais souhaitent que la boîte en contienne un. Comment la mère peut-elle réussir ce tour de force ?

....

LE COURRIEL

```
De            : Gérard
Destinataire : Revenu Canada
Date          : Ce matin
Objet         : Baisse d'impôt

Cher Revenu Canada,

Y'en a qui parlent de croissance nulle et
d'inflation, d'autres qui disent que c'est les actifs
à dossiers ou les surprimes qui ont fait ça. Moi,
je veux juste mon argent alors pas d'impôts. Si
la Bourse est un casino, donnez-moi des jetons ! À
la roulette, j'aurais au moins une chance sur 36.
Sinon, emprisonnez-moi et je veux le même traitement
que Conrad et ses journaux.

Gérard, un payeur de taxes
```

965 Quel terme désigne une stagnation de l'activité en période d'inflation ?

....

966 Gérard parle de la crise des « surprimes » américaines. À quel terme fait-il allusion ?

....

967 Gérard fait erreur en disant qu'il a une chance sur 36 en misant sur un numéro à la roulette. Quelle est la probabilité exacte ?

....

968 Quel est le nom de famille de ce Conrad et ses journaux auquel Gérard fait allusion ?

....

TRAIN DE MOTS

LES MOTS DE CETTE LISTE DOIVENT ÊTRE REPLACÉS DANS UN ORDRE PERMETTANT DE CRÉER DES NOMS COMPOSÉS OU DES EXPRESSIONS.

COUP, MAGIQUE, CONTRE, BAGUETTE, POUR

969 ....
....

SPRINT À RELAIS

LES PREMIÈRES LETTRES CORRESPONDENT AUX DERNIÈRES LETTRES DU MOT PRÉCÉDENT. IL PEUT S'AGIR DE LA DERNIÈRE OU DES DEUX, TROIS OU QUATRE DERNIÈRES. À VOUS DE JOUER !

970 **Lettre de départ : LÉ**
Il a le sang froid et la peau écailleuse

....

971 Pour afficher le menu

....

972 Plus courant qu'un aigle au golf

....

973 Dans l'alphabet

....

974 Il est habituellement contenu dans un coffre

....

975 Lorsque le prêtre se voit conféré les ordres de l'Église

....

976 Appartenance légale d'une personne à un état

....

977 Violente perturbation atmosphérique

....

978 Rencontre romantique

....

LA PETITE ÉCOLE

VOICI LE CÉLÈBRE JEU DU MARDI ! PROFITEZ-EN POUR FORMER DES
ÉQUIPES ; NOUS VOUS PROPOSONS DEUX SÉRIES DE QUESTIONS POUR VOUS
MESURER COMME LES PARTICIPANTS EN STUDIO !

Première année

Équipe A

979 Combien y a-t-il de voyelles dans l'alphabet ?

....

Équipe B

980 Quel fruit empoisonna Blanche-Neige dans le célèbre
conte de fées ? ....

Deuxième année

Équipe A

981 Comment appelle-t-on le petit de la biche ?

....

Équipe B

982 Quel est le nom de la planète qu'on surnomme « planète rouge » ?

....

Troisième année

Équipe A

983 Traduisez « Take a pencil » en français.

....

Équipe B

984 Combien font 8 X 4 = ?

....

Quatrième année

Équipe A

985 Conjuguez le verbe « prendre » au passé composé à la troisième personne du pluriel.

....

Équipe B

986 Comment appelle-t-on des droites qui ne se rencontrent jamais?

....

Cinquième année

Équipe A

987 Comment appelle-t-on les gens qui s'intéressent aux champignons ? ....

Équipe B

988 Combien y a-t-il d'heures et de minutes entre 9h15 et 15h10 ? ....

Sixième année

Équipe A

989 Conjuguez le verbe « savoir », à la troisième personne du singulier, au passé simple de l'indicatif.

....

Équipe B

990 À quel pays appartenait la Nouvelle-France en 1745 ?

....

Première secondaire

Équipe A

991 Quel est l'instrument météorologique servant à mesurer la vitesse du vent ?

....

Équipe B

992 Quel signe de ponctuation est utilisé pour séparer les phrases sans les isoler ?

....

Deuxième secondaire

Équipe A

993 Comment se nomme la période historique qui suit immédiatement l'Antiquité dans le temps ?

....

Équipe B

994 Combien de côtés comporte un hexagone ?

....

Troisième secondaire

Équipe A

995 Quelle est la région administrative située à l'est de la région des Laurentides ?

....

Équipe B

996 Nommez une particule élémentaire liée à la composition de l'atome ?

....

Quatrième secondaire

Équipe A

997 Comment s'appelle le côté le plus long d'un triangle rectangle? ....

Équipe B

998 Quel compositeur a écrit une symphonie qui se termine par un hymne à la joie?

....

Cinquième secondaire

Équipe A

999 À qui devons-nous la loi de la gravitation universelle, laquelle explique le mouvement des corps célestes dans l'espace? ....

Équipe B

1000 Comment nomme-t-on un vers de 12 syllabes en poésie?

....

LES RÉPONSES

Ça commence par, ça finit par...

1   **CA**JUN
2   **KA**YAK
3   **CA**TARACTE
4   **CA**MÉLIA
5   **CA**STOR

Cartes postales

6   Pierre de Coubertin
7   Jacques Rogge, président du Comité international olympique
8   Londres, en 2012
9   Plus vite, plus haut, plus fort. C'est la devise des JO.
10   Un tambour africain
11   Un grand manteau de laine en usage au Maghreb (aussi un sac-vêtement pour bébé)
12   Une tente mongole
13   De l'Australie (c'est une grande trompette)

Classe-toi!

14   Terre, Mars, Jupiter, Saturne

Une image vaut 1000 mots

15   Courber l'échine

Énigme

16   Trois. Si les deux premières balles tirées de la boîte ne sont pas de la même couleur, la troisième viendra forcément résoudre le problème.

Faites la paire

17   MARTEAU ou ENCLUME
18   MOUCHE
19   TRIANGLE
20   CAROTTE

21   MULET
22   PELLICULE
23   TUYAU
24   RAYONS

La lettre perdue

25   **G**ARA**G**E
26   **M**A**G**O**G**
27   **G**R**U**GER
28   **G**RIN**G**ALET
29   **G**INSEN**G**
30   **SI**E**S**TE
31   **S**AL**S**IFI
32   **S**AUCI**SS**E
33   **S**OL**S**TICE
34   A**SS**A**SS**IN

La pyramide

35   E
36   OE
37   OLÉ
38   MOLE
39   MOULE
40   L
41   IL
42   ÎLE
43   BILE
44   BILLE

Classe-toi!

45   Tokyo (1964); Mexico (1968); Munich (1972); Montréal (1976)

Une image vaut 1000 mots

46   Salir une réputation

Énigme

47   (bœuf) − (œuf) = b

Le point du savoir

48 à 52   L'Argentine
53 à 57   L'œuf de poule

Les « acros »

58 CSN – La Confédération des syndicats nationaux au Québec et la FTQ – la Fédération des travailleurs du Québec

59 ORL - Otorhinolaryngologiste

60 NPD – Le Nouveau Parti Démocratique

61 ISBN - International Standard Book Number

62 SDF – Sans domicile fixe

63 BPC - Biphényles polychlorés (incendie majeur en 1988)

64 QG – Quartier général

65 REÉR - Régime enregistré d'épargne retraite et RRQ – Régime des rentes du Québec

66 URSS - Union des républiques socialistes soviétiques

67 SPCA – Société pour la prévention de la cruauté envers les animaux

Les dés à découdre

68 C'est la **croix** et la bannière

69 Le **Roi** est mort, vive le **Roi**!

70 **Porte**-à-faux

71 **Boîte** cranienne

72 Être **blanc** comme neige

Classe-toi!

73 Dame : 6 points;
Neuf : 7 points;
Valet : 8 points;
Dix : 13 points

Une image vaut 1000 mots

74 Une ligne de partage

Énigme

75 La température d'ébullition d'un liquide n'est pas intrinsèque au liquide mais dépend de sa pression. En altitude, l'eau bout à des degrés moindres.

Noms et prénoms

76 Éric Rhomer

77 Éric Clapton

78 Éric-Emmanuel Schmitt

79 Tim Horton

80 Tim Robbins

81 Tim Burton

Questions de lettres

82 IMMÉDIATEMENT

83 MAMMIFÈRE

84 COMMANDEMENT

85 LONGUEUIL

86 LÉGAL

87 LAVAL

88 LINCEUL

89 TOUJOURS

90 OURSIN

91 BOURSE

92 COURSIVE

Classe-toi!

93 Milou apparaît dès la première case du premier album - Tintin au Pays des Soviets(1930); La Castafiore apparaît pour la première fois dans Le Sceptre d'Ottokar (1939); le capitaine Haddock dans Le Crabe aux pinces d'or (1941) et le professeur Tournesol dans Le Trésor de Rackham le Rouge (1944).

Une image vaut 1000 mots

94 Se faire une montagne avec des riens; faire une montagne de rien

Énigme

95 Le notaire augmente le bien du père en prêtant un cheval. Il grossit ainsi le troupeau d'héritage à 18 têtes. Le premier fils en prend la moitié, c'est-à-dire neuf; le deuxième en prend le tiers c'est à dire six, et le dernier le neuvième c'est à dire deux. Il reste un cheval à la fin et le notaire reprend son bien.

Sans voyelles

96 CHAISE ou CHOISI
97 ACIDULÉ
98 BÉTAIL
99 PERMUTATION
100 CAHIER
101 CLOU
102 RAPIDE
103 COUPLE
104 IDIOT ou IDÉAT
105 JOUTE

Sprint à relais

106 TERRINE
107 INEXISTANT
108 TANT PIS
109 PISTER
110 TERMINATOR
111 TORRENT
112 RENTABILITÉ
113 LITERIE

Classe-toi!

114 Lac Supérieur : 183,5 mètres; Huron (et Michigan) : 176,3 m; Erié : 174,3 m; Ontario : 75 m. Logiquement, plus un lac se trouve en amont du Saint-Laurent, et plus son altitude est élevée.

Une image vaut 1000 mots

115 Attendre quelqu'un avec une brique et un fanal

Énigme

116 22, qui n'est pas un multiple de sept (ou 49 qui ne contient pas le chiffre 2)

Les « acros »

117 YMCA - Young Men's Christian Association
118 TGV – Train à grande vitesse
119 NASA - National Aeronautics and Space Administration
120 SCUBA - Self Contained Underwater Breathing Apparatus
121 SOS - Save our ship - Save our souls
122 INRS - Institut National de la Recherche Scientifique
123 RSVP - Réponse s'il-vous-plaît
124 DDT - dichloro-diphénol-trichloréthane
125 AFP – Agence France-Presse

181 Yves Jacques (Pierre Curzi, Rémi Girard, Daniel Brière, Gabriel Arcand)

182 Michigan (Érié, Huron, Ontario, Supérieur)

183 Halifax (Fredericton, Charlottetown, St-John's)

184 Victoria (Edmonton, Winnipeg, Regina)

185 Pierre Labelle (Jean Beaulne, René Angelil)

186 Mario Tremblay (Vigneault, Therrien, Julien, Gainey, Carbonneau, Martin)

Classe-toi!

187 Marc-Aurèle de Foy Suzor-Côté (1937); Ozias Leduc (1955); Marc-Aurèle Fortin (1970); Jean-Paul Riopelle (2002)

Une image vaut 1000 mots

188 Une carrière en dents de scie

Énigme

189 (époux) - (poux) = é

La pyramide

190 P

191 PS

192 PIS

193 PISE

194 PRISE

195 G

196 AG

197 ÂGE

198 MAGE

199 MARGE

Le bon citoyen

200 Il indique une voie réservée au covoiturage

(le « x » étant remplacé par un nombre de passagers), ainsi qu'aux autobus et aux taxis.

Le mot sacoche

201 BAIE

202 ARME

203 MADAME

204 BOIRE

205 MAI

206 VIRAGE

207 COURGE

208 VOITURE

209 VITRAGE

210 COURAGE

Le point du savoir

211 à 215 Le Kilimandjaro

216 à 220 La levure

Les dés à découdre

221 **Cœur** de pirate

222 Passe-**Montagne**

223 Clouer le **bec** à quelqu'un

224 Compter pour du **beurre**

225 Les **oranges** sont vertes

Les syllabes

226 Tourner en dérision

227 Enrayer une épidémie

228 Ecclésiastique

229 Particularité

230 Collaboration

231 Une épreuve terrible

232 Limiter les dégâts

233 Une assemblée houleuse

234 Éconduire un prétendant

235 Déflagration

236 Euphémisme

237 Ultimatum

238 Administration

239 Une activité lucrative

240 Une institution financière
241 Traficoter

Le mot découpé
242 Balancer (**ba**teau, **lam**pe, **cé**leri)
243 Distance (**dis**que, **ten**te, **ce**rises)
244 Délicat (**dés**, **li**vre, **ka**raté)

Noms et prénoms
245 Michel Côté
246 Michel Tremblay
247 Michel Fugain
248 Robert de Niro
249 Robert Duvall
250 Robert Lalonde

Classe-toi!
251 L'Île aux Basques
    L'Île-du-Prince-Édourad
    L'Île du Havre Aubert
    L'Île de Terre-Neuve

Une image vaut 1000 mots
252 De l'« o » (eau) salée

Énigme
253 La mère et la grand-mère viennent des deux lignées différentes: paternelle et maternelle.

Quatre lettres, trois mots
254 RATE
255 TARE
256 ÂTRE
257 PRIE
258 PIER
259 PIRE
260 SERA
261 RASE
262 ARES
263 CÔNE
264 NOCE

265 ONCE
266 TRÈS
267 SERT
268 RETS

Questions de lettres
269 IN**SOL**ENT
270 OB**SOL**ÈTE
271 BOUS**SOL**E
272 **S**OURNOI**S**
273 **S**IRIU**S**
274 **S**OURI**S**
275 **S**UCCÈ**S**
276 C**O**L**OR**AD**O**
277 **O**SS**O**-BUCC**O**
278 M**O**N**O**P**O**LE
279 MEZZ**O**-S**O**PRAN**O**

Son baladeur
280 **NAU**TIQUE
281 LA**NAU**DOIS
282 JAMBON**NEAU**
283 **NI**COLET
284 CA**NI**NE
285 CALOM**NIE**
286 **VAU**CLUSE
287 GAL**VAU**DER
288 CANI**VEAU**
289 **ZI**GOUILLER
290 HE**SI**TER
291 SARKO**ZY**

Classe-toi!
292 Taille moyenne d'un mâle adulte : gibbon (75-90 cm), chimpanzé (80-90 cm), orang-outang (1,40 m), gorille (1,40 à 2 m)

Une image vaut 1000 mots
293 Une tête de violon

Énigme
294 200 oeufs

Faites la paire
295 FRAISE
296 PRISE
297 CHIEN
298 TOUR
299 PÂTE

Le mot sacoche
300 ORAISON
301 TESSON
302 MOIS
303 TISON
304 MESS
305 POMME
306 GRAMME
307 PAGE
308 ROME ou PALERME
309 GAMME

La lettre maudite
310 Saskatchewan (Colombie-Britannique, Territoires du Nord-Ouest)
311 Edward ou Ted (John, Robert)
312 Nez (gorge, oreilles)
313 Simple (touché, placement, converti)
314 Tunnel Hippolyte-Lafontaine (Ponts Jacques-Cartier, Mercier, Champlain et Victoria)
315 Mao (Junior, Dolorès)
316 basse (ténor, baryton)

Classe-toi!
317 Geai bleu (34-43 cm): Île-du-Prince-Édouard; Macareux moine (50-60 cm): Terre-Neuve-et-Labrador; Grand-Duc d'Amérique (91-152 cm): Alberta;

Balbuzard pêcheur (150-175 cm): Nouvelle-Écosse

Une image vaut 1000 mots
318 Un filet de poisson

Énigme
319 12. Tous les mois ont au moins 28 jours.

Animages
320 OUEST
321 VALSE
322 TRUC
323 CANNE
324 BREBIS

Ça commence par, ça finit par...
325 **PHÉ**ROMONES
326 **FÉ**LICITER
327 **FÉ**ROCE
328 **PHÉ**NIX
329 **FÉ**MUR
330 **FU**CHSIA
331 **FU**MET
332 **FU** MAN CHU
333 **FU**RET
334 **FU**MISTE

Carte postale
335 Un dromadaire (le chameau a deux bosses)
336 Le Maroc
337 La chamelle (porte le même nom que la femelle du chameau)
338 Au bassin (l'os iliaque)

Classe-toi!
339 Angleterre (plus de 50 millions); Écosse (plus de 5 millions); Pays de Galles (près de 3 millions); Irlande du Nord (moins de 1,7 million)

Une image vaut 1000 mots
340   Avoir l'estomac fragile

Énigme
341   D'abord, $(1 \div 5) = 0,2$. Puis, $(5 - 0,2) = 4,8$. Finalement, $(5 \times 4,8) = 24$.

Faites la paire
342   LAIT
343   NOTE ou SALLE
344   COURSE
345   CRAYON
346   FIL
347   CAMP

La lettre perdue
348   IMBU
349   HOBBY
350   ROBUSTE
351   BAOBAB
352   IMBERBE
353   VENIN
354   ENNUI
355   NIRVANA
356   INCONNU
357   PNEU

La pyramide
358   O
359   OU
360   OEU
361   OEUF
362   BOEUF
363   S
364   SU
365   SÛR
366   SÛRI
367   SURIN

Classe-toi!
368   Louis XVIII (1814-1825); Charles X (1825-1830); Louis-Philippe (1830-1848);

Napoléon III (1852-1870). La Deuxième république a occupé l'intervalle de 1848 à 1852.

Une image vaut 1000 mots
369   Manger une claque

Énigme
370   Le truc c'est que $100 + 1 = 101$, $99 + 2$ égale aussi 101, $98 + 3$ trois égale 101. On calcule donc mentalement 50×101, ce qui donne 5050.

Le bon citoyen
371   Activités saisonnières se déroulant l'été. Le premier désigne un amphithéâtre en plein air, le second un camp musical et le troisième un théâtre d'été.
372   Les véhicules lents doivent emprunter la voie de droite.
373   Il annonce la circulation dirigée par un signaleur dans une zone de travaux

Le point du savoir
374 à 378   Charles Robert Darwin
379 à 383   Émilie Heymans

Les dés à découdre
384   **Blanc**-bec
385   Casque **bleu**
386   Sans **queue** ni tête
387   Le P'tit **Train** du Nord
388   Les contes des Mille et une **Nuits**

Les syllabes
389   Effectuer une permutation

Classe-toi!

443 Michel Serreault (79 ans);
Paul Newman (83 ans);
Charles Trenet (87 ans);
Henri Salvador (90 ans)

Une image vaut 1000 mots

444 Un bloc de départ

Énigme

445 Le deuxième. Les
affirmations des coffrets
1 et 3 se contredisent, on
peut donc conclure que
l'une d'elles est fausse et
l'autre vraie. Puisqu'une
seule affirmation des trois
est vraie, on sait donc
que l'énoncé du milieu est
faux et que c'est là que se
trouve le portrait.

Faites la paire

446 PEINE, PEN
447 COQ, COQUE
448 TROIS, TROIE
449 FRIT, FREE
450 SÈCHE, SEICHE
451 LES, LAIT
452 PAIN, PIN
453 RUÉE, RUER
454 MOU, MOÛT
455 EN, AN

La petite école

456 2 ou 4
457 20 (10 doigts et 10 orteils)
458 Gilles Vigneault
459 Le vent
460 22 timbres
461 Bleu (cyan), vert, violet
462 Vous jetiez
463 Les herbivores

464 Un entier (1)
465 8
466 Un octogone
467 40%
468 Un baromètre
469 Les méridiens
470 Pi
471 30 $ l'heure
472 Les tendons
473 Is skiing
474 Best
475 Gaz carbonique ou
dioxyde de carbone
476 Un sonnet
477 L'indexation

Ça commence par, ça finit par...

478 CALE**ÇON**
479 HAME**ÇON**
480 CHAN**SONS**
481 LE**ÇONS**
482 SU**ÇON**
483 **SA**VON
484 **SA**LAMANDRE
485 **SA**MEDI
486 **SA**BLE
487 **SA**TIN

Classe-toi!

488 Orchestre, parterre,
corbeille, balcon

Une image vaut 1000 mots

489 Percer un secret

Énigme

490 20 (9-19-29-39-49-59-69-
79-89-90-91-92-93-94-95-
96-97-98-99). N'oubliez
pas de compter les deux 9
de 99!

À première vue

491 Image: **ca**rotte –
Réponse: **ca**denas

492 Image: **che**val –
Réponse: **che**ville

493 Image: **seau** –
Réponse: **sau**mon

494 Image: **gi**rafes –
Réponse: **gy**rophares

495 Image: **dis**que –
Réponse: **dis**parition

Le point du savoir

496 à 500 La croix du Mont-Royal

501 à 505 La feta

506 à 510 Les invasions barbares

À première vue

511 Image: **fa**nal –
Réponse: **fa**natique

512 Image: **bri**ques
– Réponse: **bri**se-lame

513 Image: **cas**tor –
Réponse: **cas**sonade

514 Image: **vio**lon –
Réponse: **vio**lence

515 Image: **tam**bour
– Réponse: **tam**pon

L'ingrédient manquant

516 George Washington apparaît sur les billets de 1$. Les autres apparaissent dans l'ordre sur les coupures de 100, 50, 20, 10, 5 et 2$.

517 Orange

518 Tequila (et oui, on dit bien « une » Margarita)

519 Le ski acrobatique a été introduit comme sport de démonstration à Calgary en 1988 et des épreuves sont au programme officiel des Jeux depuis 1992.

520 L'indicatif 438 s'est ajouté sur le territoire du 514 depuis 2006. Le 581 est autorisé sur le territoire desservi par le 418 depuis septembre. On prévoit en ajouter un autre qui doublera le 450 d'ici deux ans.

La pyramide aztèque

521 PAT ou PIT
522 PORT
523 PAVOT
524 PAQUET
525 PARFAIT
526 PAS
527 PUIS
528 PAGES
529 PUTOIS
530 PROGRÈS
531 ALI
532 ABRI
533 AIGRI
534 AVERTI
535 AGUERRI

Animages

536 CENTRE
537 CÉTACÉS
538 CAGOULE
539 DESSERT
540 DENTIERS

Le courriel

541 C
542 Le graveur

543 Facteur Rhésus (RH positive ou RH négatif)
544 Mémoire vive
545 Quelqu'un ayant participé aux événements de mai 1968 en France (et par extension, un contestataire de cette époque)
546 Un monologue. Par extension quelqu'un qui soliloque s'écoute parler.
547 plusieurs, beaucoup de
548 Andorre

Classe-toi!
549 1 euro est égal à 2 marks; 6,6 francs; 166,3 90 pesetas et 1,936 lires (valeurs arrondies). La valeur de ces monnaies est désormais liée à l'euro, leur taux de change ne varie plus.

Une image vaut 1000 mots
550 Avoir l'horizon bouché

Énigme
551 Un sort

À première vue
552 Image : **pis**cine – Réponse : **pis**ton
553 Image : **va**lise – Réponse : **Va**radero
554 Image : **tor**tue – Réponse : **tor**se
555 Image : **re**nard – Réponse : **re**noncer
556 Image : **par**fum – Réponse : **par**tie

Faites la paire
557 CARREAU

558 GRÊLE
559 MÈCHE
560 MORT
561 QUART
562 TOUR
563 TOILES
564 TÉMOIN

La bête noire
565 Chorizo, qu'on prononce « tchorizo » pour désigner cette saucisse portugaise
566 Le navarin est un ragoût de mouton ou d'agneau. Facile à confondre avec le savarin qui est un gâteau
567 Le mot « cancellé » est un anglicisme
568 Angussiens (nes)

La lettre perdue
569 LE**S**T
570 CO**S**INU**S**
571 DE**SS**IN
572 **S**TRAU**SS**
573 ABY**SS**AL
574 SAR**B**ACANE
575 A**B**RI**B**US
576 FA**B**ULER
577 **B**RISBANE
578 AR**B**ITRE

Classe-toi!
579 Outaouais, Lanaudière, Chaudière-Appalaches, Bas Saint-Laurent

Une image vaut 1000 mots
580 Fumer comme une cheminée

Le mot sacoche
581 ORÉE
582 DARD

649　GUENON
650　GAUGUIN

Classe-toi!
651　Records du monde du 100 mètres en date de 2008 : style libre (47,05 sec) - papillon (50,40) - dos (52,54) - brasse (58,91)

Une image vaut 1000 mots
652　Un vaisseau fantôme

La lettre perdue
653　MO**NO**CLE
654　SC**OR**PI**ON**
655　H**OMO**PHOBE
656　M**O**UCH**O**IR
657　VI**OLON**
658　PR**OF**ANE
659　A**FF**RANCHIR
660　**F**ES**TIF**
661　CARA**FE**
662　L**OFT** ou **F**LOT

Le mot sacoche
663　MENTON
664　MAIN
665　GAIN
666　MENTION
667　REIN
668　OPUS
669　COTE
670　METS
671　COMPOTE
672　POU

Le point du savoir
673 à 677　L'oignon

Le courriel
678　Inde
679　5 cm x 10 cm
680　Dans la cuisse

681　Une fleur aquatique
682　Une école bouddhique au Japon

Classe-toi!
683　Le Roi Arthur et les chevaliers de la table ronde: V^e ou VIe siècle, selon les versions de la légende; La bataille de Roncevaux où mourut le chevalier Roland a eu lieu le 15 août 778; l'histoire de Robin des bois se situe sous le règne de Jean-sans-Terre, au début du XIIe siècle; Les Trois Mousquetaires servaient le roi Louis XIII qui vécut au XVIIe siècle.

Une image vaut 1000 mots
684　Un chalet en bois rond

Noms et prénoms
685　Denis Bouchard
686　Denis Drouin
687　Denis Drolet
688　John Lennon
689　John Voight
690　John Kennedy
691　Catherine Perrin
692　Catherine Lara
693　Catherine Durand
694　Marie Curie
695　Marie Saint-Pierre
696　Marie Tifo

Son baladeur
697　**BER**GERON
698　HÉ**BER**GER
699　CAMEM**BERT**
700　**QUÉ**BÉCOIS

701 AC**QUÉ**RIR
702 COMPLI**QUÉS**
703 **NÉ**FASTE
704 IN**ÉD**IT
705 PYRÉ**NÉES**
706 **DÉ**LIMA
707 PAN**DÉ**MIE
708 FÉLI**DÉ**

Sons en orbite
709 SINCÉRITÉ
710 CARCÉRAL
711 MÉGACÉROS
712 HARMONICA
713 SALMONELLE
714 LIMONADE
715 COGNITIF
716 MAGNIFIER
717 DIGNITÉ

Classe-toi!
718 MDCCCXCIX (1899);
MCMXXIX (1929);
MCMXLVII (1947);
MCMLXII (1962)

Une image vaut 1000 mots
719 Un pilier de sagesse

Énigme
720 Le motocycliste amène
le premier à 10 km de
la fête dans la première
heure pendant que l'autre
marche une heure. Il
retourne chercher le
premier qui aura marché
10 km pendant ce temps:
tout le monde arrivera
donc exactement à temps.

Train de mots
721 Action-réaction, réaction
en chaîne, chaîne de

lettres, lettres d'amour
722 Coupe-feu (ou Coupe de
feu - Harry Potter) feu de
camp, camp de vacances,
vacances d'été

Le point du savoir
723 à 727 Le crabe

Les dés à découdre
728 Des **roses** et des orties
729 Pneus à **clous**
730 Mener une vie de **château**
731 Les **hommes** qui
n'aimaient pas les
femmes
732 Faire **chou** blanc

Les syllabes
733 Avertissement
734 Collagène
735 Alambiqué
736 Croissanterie
737 Urgentologue
738 Picotement
739 Une discussion animée
740 Réclamer l'addition
741 Sacrer un chevalier
742 Une politesse excessive
743 Consentement
744 Passer les menottes
745 Pachyderme
746 Avoir un accent
britannique
747 La grande faucheuse
748 Sous haute tension

Noms et prénoms
749 Alphonse Desjardins
750 Alphonse (Al) Capone
751 Alphonse Daudet
752 Roger Vadim

753 Roger Frappier,
Roger Cantin
754 Roger Moore

Sans voyelles
755 SOUDURE
756 SUBTERFUGE
757 BOUSSOLE
758 ÉTUDIANT
759 TURBINE
760 ASTÉRISQUE
761 WASHINGTON
762 ZEN
763 PRIMATE
764 VAINQUEUR

Classe-toi!
765 Martin Luther King (1964);
Mère Teresa (1979); Le 14e
Dalaï Lama (1989); Nelson
Mandela (1993)

Une image vaut 1000 mots
766 Un monstre marin

Énigme
767 71 est le prochain nombre
qui contient la lettre Z

Sprint à relais
768 SONATE
769 ATÉMI
770 ÉMIGRÉ
771 GRÉSIL
772 SILO
773 ILÔT
774 LOTUS
775 USB
776 MAÇON
777 CONJUGAISON
778 SONG
779 SONGE
780 GERMINAL
781 ALTITUDE

782 DÉSORMAIS

La lettre perdue
783 IMBU
784 HOBBY
785 ROBUSTE
786 BAOBAB
787 IMBERBE
788 CASSIS
789 OSIRIS
790 CORSETS
791 OASIS
792 MUESLI

À première vue
793 Image : lune –
Réponse : luciole
794 Image : guitare –
Réponse : guidon
795 Image : drapeaux
– Réponse : drame
796 Image : clocher
– Réponse : cloporte
797 Image : balle –
Réponse : ballonnements

La voyelle coucou
798 CHURCHILL
799 MIRACLE
800 GINSENG
801 GUSTATIF
802 VIOLET ou VOULUT
803 TRICHEUR
804 GOUSSE
805 BISTOURI
806 CUMULUS

Questions de lettres
807 CONIFÈRE
808 COLLÈGUE
809 CALÈCHE
810 SANTA CLAUS
811 ANACONDA

812 SAHARA
813 GONG
814 KING KONG
815 MÉKONG

Classe-toi!
816 Croche (1/2 temps), noire
(un temps), blanche (deux
temps), ronde (quatre
temps)

Une image vaut 1000 mots
817 Du pain doré

Énigme
818 Parce qu'il n'est pas assez
grand pour atteindre
le bouton du vingtième
étage

Les dés à découdre
819 Maigre comme un **clou**
820 **Carte** de crédit
821 Être tout yeux, tout **oreilles**
(Tendre l'oreille)
822 Mettre au pied du **mur**
823 **Châteaux** de la Loire
824 Avoir du sang **bleu**

Approximot
825 Image : **b**ague –
Réponse : **d**ague
826 Image : **b**oule –
Réponse : **h**oule
827 Image : br**i**que –
Réponse : br**a**que
828 Image : ca**g**e –
Réponse : ca**v**e

Le point du savoir
829 à 833 Macbeth
834 à 838 Le Nouveau-
Brunswick

Ça commence par, ça finit par…
839 **DRA**PEAU
840 **DRA**GÉE
841 **DRA**CULA
842 **DRA**KKAR
843 **DRA**ME
844 CORN**ÉE**
845 PÉRO**NÉ**
846 SAGUE**NAY**
847 SOLUTIO**NNER**, DEVI**NER**
848 DON**NER**

Train de mots
849 Armée de l'air, air bête,
bête de somme, somme
toute
850 Demi-tour, tour du
chapeau, chapeau de
roue, roue de fortune

Le comptoir des objets trouvés
851 Sol (Marc Favreau)
852 Luciano Pavarotti
853 Céline Dion
854 Dracula (ou un vampire)
855 Milou

Les substituts
856 Avoir une drôle de bette
857 Bicycle à gaz
858 Va falloir clancher!
859 On n'engraisse pas les
cochons à l'eau claire
860 Dormir sur la switch
861 Avec des si on va à Paris
862 Énerve-toi pas le poil des
jambes
863 Un fun noir
864 Être dans le jus
865 Y'a du monde à'messe

Classe-toi!

866 Loup (30 à 45 kg); castor (18 à 22 kg); renard roux (4 à 7 kg); vison (0,6 à 1,3 kg)

Une image vaut 1000 mots

867 Un plaisir coupable

Énigme

868 AF puisqu'il s'agit de la transposition du symbole pi en ordre de lettres. Donc C.ADAF (3.1416)

La lettre de trop

869 EDREDON (i)
870 EMBLÈME (r)
871 GARAGE (u)
872 TAÏGA (s)
873 PAON (t)
874 FALAFEL (u)
875 IDAHO (n)
876 ÉCORCE (t)
877 PASTEL (u)
878 SIESTE (r)
879 HUIT (e)
880 RUPTURE (o)

Les dés à découdre

881 La **nuit** porte conseil
882 Téléphone **rouge**
883 Aux innocents les **mains** pleines
884 boîte **noire**
885 **porte**-à-**porte**

Le courriel

886 Saint-Petersboug (a aussi été appelée Leningrad avant la dissolution de L'URSS)
887 Le tennis

888 La découverte en 1960 d'un établissement viking datant de 500 ans avant l'arrivée de Christophe Colomb
889 La Guyane

La voyelle coucou

890 PERRUCHE
891 ENCLAVE
892 BABYLONE
893 VENGEANCE
894 CARTON, CARTAN ou CORTON
895 SUÈDE, SOUDE ou SOUDA

Le point du savoir

896 à 900 La taxe sur les produits et services (TPS)
901 à 905 L' Australie

Une image vaut 1000 mots

906 Un arc-en-ciel

Énigme

907 On soustrait le poids restant du poids de départ. Il reste 110 kilos, soit le poids du vin qui a été bu. Ce poids représente aussi la moitié du vin contenu dans le tonneau plein. On multiplie ce nombre par deux et on trouve le poids total du vin au départ, soit 220 kilos. Donc, (poids total) - (poids du vin) = tonneau qui pèse 10 kg!

Sprint à relais

908 **PRO**SCIUTTO
909 **TO**M (Saywer)

910 **TOM**BOLA
911 **LA**MINER
912 **MINER**VE
913 **NERVE**USES
914 **SES**AME STREET
915 **ÉTI**QUETER

Le comptoir des objets trouvés
916 Quasimodo
917 Elizabeth II
918 Denise Bombardier
919 John Lennon
920 Napoléon Bonaparte

Sans voyelles
921 BR**I**LL**A**NT**I**N**E**
922 V**O**LC**A**N
923 P**O**RTE-M**O**NN**AIE**
924 Z**E**ST**E**
925 PHR**ÉA**T**I**Q**UE**
926 R**O**B**I**N**E**T
927 GR**E**N**A**D**I**N**E**
928 TW**EE**D
929 H**A**M**A**C
930 GL**Y**C**É**M**IE**

Une image vaut 1000 mots
931 Faire boule de neige

Énigme
932 Oeil qui fait yeux

Les substituts
933 Être né pour un petit pain
934 Rire à gorge déployée
935 Être pompette
936 Se retourner sur
        un dix cent
937 Se fermer la trappe
938 Friser le ridicule
939 Pousser sa chance
940 Voir venir
941 Aimer son prochain
942 Faire la grande demande

Ça commence par, ça finit par…
943 CON**GÉ**
944 BER**GERS**
945 VER**GER**
946 ENNEI**GÉ**
947 BOULAN**GER**
948 **RU**ADE
949 **RU**GISSEMENT
950 **RU**CHE
951 **RHU**ME
952 **RU**MINANT

La voyelle coucou
953 PAPILL**O**N
954 CAF**A**RD
955 LUMB**A**GO
956 S**A**FRAN
957 M**O**USTAKI
958 C**O**RIANDRE
959 HARN**AIS** ou **HER**NIES
960 PR**O**FIT ou PR**É**FET
961 **ER**GOT ou **AR**GOT
962 FARF**A**DET

Une image vaut 1000 mots
963 Croquemitaine

Énigme
964 Elle distribue six biscuits
        à six enfants et donne la
        boîte contenant le dernier
        biscuit au septième.

Le courriel
965 Une stagflation
966 La crise des « subprimes »
967 Une chance sur 38 à la
        roulette américaine et
        une sur 37 à la roulette
        européenne
968 Conrad Black, financier
        emprisonné pour fraude
        en 2008

Train de mots

969 Pour ou contre, contre-
     coup, coup de baguette,
     baguette magique

Sprint à relais

970 **LÉ**ZARD
971 **ARD**OISE
972 **OISE**LET
973 **LET**TRES
974 **TRÉS**OR
975 **OR**DINATION
976 **NATION**ALITÉ
977 **TE**MPÊTE
978 **TÊ**TE-À-TÊTE

La petite école

979 6 (A - E - I - O - U et Y, qui
     est aussi semi-consonne)
980 Une pomme
981 Le faon
982 Mars
983 Prends, ou prenez,
     un crayon
984 32
985 Ils ont pris
986 Des parallèles
987 Des mycologues
988 5h55
989 Il sut
990 La France
991 L'anémomètre
992 Le point virgule
993 Le Moyen-Âge
994 Six côtés
995 Lanaudière
996 Neutron, proton, électron
997 L'hypoténuse
998 Ludwig van Beethoven
999 Isaac Newton
1000 Un alexandrin